Königs Erläuterungen und Materialien
Band 142

Erläuterungen zu

Arthur Miller

Tod eines Handlungsreisenden (Death of a Salesman)

von Reiner Poppe

Über den Autor dieser Erläuterung:

Reiner Poppe: Studium der Anglistik, Romanistik und Germanistik. Unterrichtstätigkeit im In- und Ausland.
Postgraduiertenstudium im Fachbereich Erziehungswissenschaften und „Interkulturelle Studien". Langjährige Sonderaufgaben in der Lehrerausbildung und -fortbildung.
Zahlreiche unterrichtsbezogene Veröffentlichungen zur amerikanischen, englischen und deutschen Literatur.

2. Auflage 2003
ISBN 3-8044-1720-5

Titelabbildung: Arthur Miller
Druck und Weiterverarbeitung: Tiskárna Akcent, Vimperk

Vorwort

Jugendliche, die sich mit mit Arthur Millers ***Death of a Salesman*** zu befassen haben, werden die ewige Frage stellen (– wie bei anderen Texten auch, die sie lesen sollen –): „Und, was bringt uns das?"
Hand aufs Herz: Welcher Unterrichtende käme nicht in Verlegenheit, wenn er eine ehrliche Antwort geben soll. Wie wäre es mit dieser: „Das weiß ich nicht. – Stellt euch diese Frage doch noch einmal, nachdem ihr den Text gelesen habt."
Nun, wie jeder weiß, kommen Lernende um das Lesen bestimmter Texte nicht herum, und insofern hat jeder Unterrichtende ein leichtes Spiel, seinen Auftrag an die Lerngruppe weiterzugeben. Doch die Kernfrage sollte man schon ernst nehmen und am Ende gemeinsam die Antwort formulieren, was der gelesene Text dann wirklich gebracht hat. Wenn er nichts gebracht hat, war er als Text sicherlich nicht wertlos und seine Lektüre nicht ganz umsonst, aber dann war er für die Lerngruppe ungeeignet. Leider, so muss zugestanden werden, sind viele der als „Klassiker" geltenden Texte für den Adressatenkreis „Schüler" ungeeignet, zumeist deshalb, weil sie zu früh gelesen werden müssen. Für die Akzeptanz von *Death of a Salesman* bei Schülern können wir nicht garantieren. Wir sind mit vielen Unterrichtenden aber einer Meinung, dass dieser Theaterklassiker, 1949 uraufgeführt, zumindest ein Problem nicht hat und schon deshalb weit weniger ‚verdächtig' ist als andere Schullektüren: Er hat keine antiquierte Sprache, vor der junge Leser oft genug sofort zurückschrecken. Einig kann man sich auch darüber sein, dass die Geschichte des Willy Loman jeden halbwegs gereiften jungen Menschen berührt. Einen großen Pluspunkt gewinnt der Text darüber hinaus aus der Tatsache, dass ein Dustin Hoffman in

der Verfilmung die Hauptrolle gespielt hat. Das und weitere Details können rasch mit der Lerngruppe versammelt und mit dem bereits vorhandenen Wissen zu einem antizipierten Kollektivverständnis des Textes verknüpft werden. Dennoch: die Arbeit an und mit dem Text muss erst einmal bewältigt werden, und vielleicht gibt es sogar eine positive Zwischenbilanz nach der ersten Lektüre und dem darauf folgenden Sinnentwurf, den die Lernenden zu diesem Text machen.

Unser Erläuterungsband möchte den Prozess des (weiteren) Lesens und eigenständigen Arbeitens unterstützen. Es liegt uns viel daran, dem Lernenden die ***Besonderheit und Bedeutung*** dieses Schauspiels näher zu bringen, einerlei, ob es im Englisch- oder Deutschunterricht gelesen wird. Wir haben uns entschlossen, die amerikanische Textfassung zu Grunde zu legen ***(Reclam Fremdsprachentexte, Band 9172***). Parallel dazu greifen wir auf die deutsche Übersetzung des Stückes (Volker Schlöndorff mit Florian Hopf), ***Fischer Tb.7095***, zurück.

Ein Wort zur Absicht und Zielrichtung dieses Erläuterungsbandes:

Unsere Unterstützung geht nicht so weit, dass wir dem Lernenden die Arbeit mit komplett ausgebreiteten „Essays" oder „Referaten" abnehmen wollen. Stattdessen bieten wir ihm kapitelweise ***Teilerläuterungen mit begrenzt ausgewählten Materialien***, die den Einstieg in den Text und die Diskussion über ihn erleichtern sollen. Dabei haben wir die Hoffnung, dass unsere Ausführungen nicht einfach übernommen, sondern gegen den Strich gelesen werden, denn mündiges Lesen ist immer ‚Lesen mit eingebautem Widerstand'.

Merkfelder, die unsere Ausführungen begleiten, Schaubilder und Hervorhebungen verstehen wir als ***Leser-Service***, zugleich als eine Form der angemessenen Präsentation von Informationen, die selbstverständlich die Hoffnung auf dies-

bezügliche ‚Lerneffekte' beim jeweiligen Adressaten mit implizieren.
Die angedeuteten ***Themen und Aufgaben*** der ***Vorschlagsreihe A*** verstehen wir als Standard-Anregungen, wobei wir mit der ***Vorschlagsreihe B*** einen Schritt in die weniger oft begangene Richtung kreativ-produktionsorientierter Verarbeitung des Gelesenen wagen.
Die angegebene ***Literatur***, die wir nicht kommentieren, geht in ihrem Umfang deutlich über das hinaus, was der Lernende für seine Ergänzungs- oder Nacharbeit benötigt. Hierbei sollte er die folgenden Autoren/Titel bevorzugt heranziehen: *R. Lübbren, A. Einberger, J. L. Roberts, P. Goetsch, W. Karrer/E. Kreutzer, K. Kathrein, P. Szondi* (⇒ Literatur). Sie sind leicht zugänglich. Besonders möchten wir auf den Titel von ***Ch.Bigsby (Hrsg.), The Cambridge Companion to Arthur Miller,*** hinweisen, der freilich eher ein Studienband für den fortgeschrittenen Lernenden ist (nicht vor LK 13).
Wir wünschen gute Unterhaltung beim Lesen (oder Sehen) des Stückes, Erfolg und Freude beim Lernen. Vielleicht lautet die Antwort am Ende ja doch: „*Death of a Salesman* – hat mir gefallen und eine Menge gebracht."

Reiner Poppe

1. Arthur Miller: Leben und Werk

1.1 Biografie

Jahr	Ort	Ereignis	Alter
1915	New York	**Arthur Miller** wird am 17. Oktober in New York geboren. Er wächst in guten Verhältnissen auf. Sein Vater ist ein vermögender Geschäftsmann. Er beschäftigt ca. 1000 Arbeiter und Angestellte in seinem florierenden Textilunternehmen.	
1929	Brooklyn	Die wirtschaftliche Lage der Familie verschlechtert sich abrupt mit Beginn der „Großen Depression" (⇒ **1.3** und **2.5**). Die Millers werden in bescheidenere Lebensumstände hineingezwungen. Umzug der M.s nach Brooklyn. – Miller lernt am eigenen Leib Armut und Entbehrungen kennen. Leben im Dschungel der Großstadt.	14
1933		Abschluss der High School. Überleben und Finanzierung eines Universitätsstudiums durch verschiedene Arbeiten. Zwei Universitäten weisen ihn ab (Cornell University und Michigan University).	18

Jahr	Ort	Ereignis	Alter
		Miller schreibt seine erste Kurzgeschichte *In Memoriam*, deren Hauptfigur ein alternder Handelsreisender ist.[1]	
1934	Michigan University	Erfolgreiche Wiederbewerbung und Einschreibung an der Michigan University. Miller beginnt Journalismus und ‚Drama' zu studieren; schreibt für die *Michigan Daily*.	19
1936		Miller schreibt seine ersten Bühnenstücke und wird mit dem alljährlich vergebenen"Hopwood Award" ausgezeichnet.	21
1937		Weitere Anerkennungserfolge	22
1938	New York	und Auszeichnungen; Miller kehrt nach New York zurück.	23
1939		Miller schreibt für das *Federal Theatre Project*[2] und für die Rundfunkanstalten CBS und NBC; Ausbruch des Zweiten Weltkriegs.	24
1940	New York	Miller heiratet Mary G. Slattery, mit der er bereits seit dem Abschluss seines Studiums zu-	25

1 In dieser Übersicht sind nur die wichtigsten Werke Arthur Millers aufgeführt. Auf einzelne, insbesondere auf *The Crucible*, wird im Kapitel 1.3 noch näher eingegangen.

2 Bei dem *Federal Theatre Project* handelte es sich um eine Art ‚Sozialhilfe für Bühnenschriftsteller'. Es war ein sehr kurzlebiger Versuch am Ende der *Great Depression*. Arthur Miller hatte nach dem Ende des Studiums seine Bedürftigkeit erfolgreich nachgewiesen und konnte sich sechs Monate lang mehr recht als schlecht von den 23 Dollars, die jedem der etwa 50 berücksichtigten Autoren wöchentlich gezahlt wurden, über Wasser halten. – vgl. A. Miller: *Zeitkurven*, S. 324 ff.

Jahr	Ort	Ereignis	Alter
		sammen gelebt hat; eingeschränkte materielle Verhältnisse; Miller arbeitet an verschiedenen literarischen Projekten und bessert das Familienbudget durch weitere nicht-literarische Arbeiten auf.	
1944		Unterwegs in verschiedenen Soldatencamps, um Material für ein Bühnenstück über den Soldatenalltag zu schreiben; kein durchschlagender Erfolg; Miller versucht sich an einem Roman, ***Focus***, über den Anti-Semitismus in den USA.	29
1945		Der Roman findet Anklang; Miller wendet sich aber wieder dem Drama zu.	30
1947		Erfolg mit dem Bühnenstück ***All My Sons***, das mit dem „New York Drama Critics' Circle Award" ausgezeichnet wird. – Miller betätigt sich antifaschistisch und macht sich damit verdächtig, ein Sympathisant der Kommunisten zu sein.	32
1949		Erfolgreiches Jahr; ***Death of a Salesman*** erringt den Pulitzer Preis und ein weiteres Mal den „New Yorker Drama Critics' Circle Award".	34

Jahr	Ort	Ereignis	Alter
1953	New York	Millers ***The Crucible*** erscheint in New York. Es ist sofort heftig umstritten; dennoch wird es zweimal ausgezeichnet.	38
1954	Brüssel	Miller wird von den US-Behörden die Einreise nach Europa verweigert (politische Gründe ⇒ **1.3**).	39
1956	London	***A View from the Bridge***. – Miller verweigert Angaben über Personen im Zusammenhang mit pro-kommunistischen Treffen und Aktivitäten.	41
	New York	Im selben Jahr Scheidung Millers von seiner ersten Frau und Aufsehen erregende Hochzeit mit der Schauspielerin Marilyn Monroe.	
1957		Eine erste Ausgabe der ***Collected Plays*** erscheint; weitere Auszeichnungen für die Verdienste um das amerikanische Drama (1959).	42
1960	Connecticut Reno/Nevada	Zeitweiliger Aufenthalt in einem alten Landhaus in der Nähe von Roxbury, das die Millers hergerichtet hatten; Abschluss der Dreharbeiten zu dem Film ***The Misfits*** mit M. Monroe und Clark Gable in den Hauptrollen (Drehbuch A. Miller).	45

Jahr	Ort	Ereignis	Alter
		Beginn des Zerwürfnisses zwischen Miller und seiner Frau Marilyn.	
1961	Paris	Scheidung Arthur Millers und Marilyn Monroes; A. Miller wohnt abwechselnd in Roxbury und in New York; eine neue Frau erscheint an seiner Seite, die Fotografin Inge Morath,die er bereits während der Filmarbeiten in Reno kennen gelernt hatte. – Aufenthalt in Paris zu Filmarbeiten an *A View from the Bridge.*	46
1962		Arthur Miller und Inge Morath heiraten.	47
1964	New York, Österreich	Zwei neue Bühnenstücke Millers erscheinen, ***After the Fall*** und ***Incident at Vichy***; Tod Marilyn Monroes.	49
1965	Belgrad	Arthur Miller wird Präsident des PEN, des internationalen Schriftsteller-Verbandes.	50
1967		Veröffentlichung eines Bandes mit Kurzgeschichten ***I Don't Need You Any More.***	52
1968		Miller wird Abgeordneter der Demokratischen Partei.	53
1969		***In Russia*** veröffentlicht in Zusammenarbeit mit seiner Frau I. M.	54

Jahr	Ort	Ereignis	Alter
1971		***The Portable Miller*** erscheint.	56
1972	New York, Baltimore	Neue Erfolge mit *Death of a Salesman* and *Crucible*; A. Miller wehrt sich gegen die Unterdrückung von Künstlern und Schriftstellern, die überall in der Welt spürbar ist; politisch aktiv	57
1978	China	A. Miller wirbt für Demokratie und Humanität. – Veröffentlichung von *The Theatre Essays of Arthur Miller*.	63
1979		Die Reiseeindrücke des Vorjahres werden mit Fotos von I. M. unter dem Titel ***Chinese Encounters*** veröffentlicht.	64
1981		***Collected Plays II***. erscheint.	66
1983	China	Theaterarbeit mit chinesischen Ensembles.	67
1984	New York	Dustin Hoffman begeistert in der Hauptrolle des Dramas *Death of a Salesman*; TV-Fassung des Stückes.	68
1985	Wilna/ Litauen	Teilnahme an einem Treffen amerikanischer und sowjetischer Autoren.	70
1986	London	Große Erfolge mit ***The Archbishop's Ceiling*** (1977) und ***American Clock*** (1980) in London.	71
	Moskau	Zusammentreffen mit M. Gorbatschow.	

Jahr	Ort	Ereignis	Alter
1987	New York	Arthur Millers Autobiografie veröffentlicht: ***Timebends*** (dtsch: *Zeitkurven* – s. Literatur).	72
1989	Norwich, England	*Arthur Miller Centre* der Universität von East Anglia feierlich eröffnet.	74
1995	London	Festliche Ehrungen Arthur Millers in London und in Norwich anlässlich seines 80. Geburtstages.	80

1.2 Zeitgeschichtlicher Hintergrund

In dem langen und erfüllten Lebens des großen amerikanischen Dramatikers aus dem 20. Jahrhundert lassen sich drei Erfahrungsmomente ausmachen, unter denen er sein schriftstellerisches Profil entwickelte und sich etwa ab Ende der 30er Jahre auch politisch mit starkem persönlichen Einsatz engagierte: die Kluft zwischen Arm und Reich – die Willkür der Mächtigen – die Gebundenheit des eigenen Lebens an Zeit und Geschichte. Arthur Miller wurde geboren, als die USA – noch weit abseits vom zentralen Weltgeschehen, das sich in Europa abspielte – ihre isolationistische Politik betrieben, die sie erst im Verlaufe des Ersten Weltkrieges nach ihrer Kriegserklärung an Deutschland (1917) aufgaben. Miller wuchs in einer gut situierten jüdischen Familie inmitten des damals noch beinahe idyllisch zu nennenden Manhattan auf, und selbst der Eintritt Amerikas in den I. Weltkrieg konnte noch nicht den Frieden und die Geborgenheit ernsthaft beeinträch-

unbeschwerte Kindheit, dann wirtschaftlicher Niedergang der Familie

tigen, die ihn in seinem Elternhaus umgaben. Das änderte sich, als Arthur Millers Familie Ende der zwanziger Jahre durch die einsetzende *Great Depression* (⇒ **2.5**) gleich Millionen anderer amerikanischer Familien zunehmend Belastungen und Entbehrungen auf sich nehmen musste. In dem Maße, wie der wirtschaftliche Niedergang der USA alle Teile des Landes ergriff und einschneidende Veränderungen mit sich brachte, in dem Maße war auch Arthur Miller gezwungen, sein Leben in die eigenen Hände zu nehmen. War er schon kein großartiger Schüler gewesen, so durchlief er auch nur mit Hindernissen sein Universitätsstudium, in dem er allerdings die entscheidenden Weichen für seine Zukunft als Dramatiker stellte. Finanziell nicht auf Rosen gebettet, packte A. Miller an, wo es etwas anzupacken gab, um sich einen kargen Lebensunterhalt zu sichern. Wie so viele Amerikaner seiner Generation „jobbte" er sich durch die Jahre. Nebenbei schrieb er Bühnenstücke und erhielt dafür die ersten Anerkennungen. Die Jahre seiner gutbürgerlichen Kindheit und die einer drastischen Umkehrung aller Verhältnisse finden sich in den frühen und auch in den reifen Werken Millers wieder (⇒ **1.3**), wenn auch nicht als autobiografische Wiedergabe persönlichster Erfahrungen aus dieser Zeit. Sie legte Miller erst in seinem Lebensrückblick *Zeitkurven* (1987) nieder. –

mühsamer Weg zum Erfolg; Gelegenheitsarbeiten

Ein ganz anderes soziales und geistiges Klima erlebte Arthur Miller nach dem Ende der *Great Depression* im wirtschaftlichen Wiedererstarken der USA, das den Amerikanern den Glauben an sich selbst und an ihre Prinzipien wiedergab. Es war aber auch eine Zeit schroffer und mit perfiden Methoden geführter ideologischer Auseinandersetzungen zwischen

„rechts" und „links", die in der sogenannten *McCarthy-Bewegung* der 50er Jahre ihren negativsten Höhepunkt erreichte (⇒ **2.5**). Als Dramatiker feierte Arthur Miller in den fünf Jahren nach dem Ende des Zweiten Weltkrieges, aus dem die USA als der große Gewinner hervorgegangen waren, seine beiden bis dahin größten Triumphe mit *All My Sons* (1947) und *Death of a Salesman* (1949). Menschlich allerdings geriet er in Misskredit und politisch zehn Jahre lang ins Fadenkreuz der US-Sicherheitsbehörden wegen seiner seit den 30er Jahren sehr offen bekundeten Sympathie für die amerikanischen Linken. – Miller verarbeitete die Erfahrungen der teilweise extremen Polarisation zwischen „Linken" und „Rechten" und den ganzen Reigen zentraler politischer Themen der Zeit in einem Roman, *Focus* (1945), und in einem seiner bekanntesten Bühnenstücke, *The Crucible* (1953), dem ich mich weiter unten zuwenden werde (⇒ **1.3**). –

Große Erfolge als Dramatiker – schwere private Krise

Jahre wachsenden Wohlstands im Lande begleiteten Millers wachsende Popularität und seine inzwischen weltweit anerkannte Autorität als Schriftsteller. Privat war er durch seine schwierige Ehe mit Marilyn Monroe jedoch beinahe ein ganzes Jahrzehnt erheblich belastet, die er nach seiner Scheidung von seiner ersten Frau Mary Grace Slattery heiratete (– diese Ehe hatte von 1940–1956 gehalten –). 1960 zogen die Millers ins Ländliche (Roxbury, Connecticut), wo sie sich von den Anstrengungen ständigen Präsentseins erholten, und wo Arthur Miller seinem lebenslangen Hobby, der Arbeit mit Holz, frönen konnte. Nach der Trennung von der gefeierten Schauspielerin, nur ein Jahr später, führte Arthur Miller phasenweise ein von Existenzängsten bedrohtes Einsiedlerleben, obwohl mit der Fotografin Inge Morath bereits eine neue Frau in sein Leben getreten war. Miller selbst schreibt:

> *„Ich verbrachte mehr und mehr Tage allein in Roxbury und begann zu fürchten, ich liebe die Einsamkeit und die Stille zu sehr (…) Inge, erfüllt von sinnvoller Arbeit, hatte einen Auftrag in Frankreich (…) Ich brauchte einen geordneten Raum um mich herum, wenn ich wieder arbeiten sollte. Wenn sie beruflich unterwegs war, neigte ich dazu, gegen die Türen zu laufen (…) Meiner Verzweiflung konnte ich mich unmöglich stellen und ihr auch nicht entfliehen …“*[3]

Miller brauchte einige Zeit, bis er die Krise überwunden hatte. Wie seine weiteren Veröffentlichungen beweisen, war er sich in seiner sozialkritischen und politischen Themenwahl früherer Jahre aber treu geblieben: politische Verfolgung (*Incident at Vichy*, 1964), Bruder-Konflikt und Außenseiterexistenz (*The Price*, 1968), Schriftsteller-Verfolgung (The *Archbishop's Ceiling*, 1977), amerikanischer Alltag in der *Great Depression* (*The American Clock*, 1980), Judenverfolgung (*Playing for Time*, 1980), die sich aber zum Teil mit Themen aus privatesten Lebensbelangen vermischten (*After the Fall*, 1964). – Sein Engagement für die Achtung der Menschenwürde, das er in weiten Teilen seines Werks und weltweit in seinen öffentlichen Auftritten an den Tag legte, hat seine Wurzeln nicht zuletzt in seiner amerikanisch-jüdischen Abstammung. Es hat aber auch sehr viel mit seinen Geschichtserfahrungen des Jahrhunderts zu tun, die für ihn stets lebendigste Gegenwart waren (*Great Depression*, Zweiter Weltkrieg, Kommunisten-Hetze in den USA, totalitäre Unrechts-Regimes in der Welt). Er verstand es als Künstler, daraus Lehren abzuleiten und sich seinem Publikum überall auf der Welt

Eintreten für die Würde des Einzelnen; Botschafter des Friedens

vielseitiges Werk – weltweite Anerkennung

3 Arthur Miller: *Zeitkurven*, S. 659

verständlich mitzuteilen. In äußerst plastischer und dichter Weise ist ihm dies vor allem in seinen Bühnenwerken gelungen, die er vornehmlich an den Modellen des klassischen griechischen Theaters und an den Schauspielen Henrik Ibsens schulte:

„Miller wanted to create, a moral theatre which argued a case as well as encacting a story. Their central concerns were his concerns as well, and although he left their dramatic techniques behind as he discovered his own, he has continued to pursue the implications of their common concern, the question of what the individual must do in the world, of how to reconcile the rights and desires of individual citizens, whether they be the polis or of the world, to the good of the whole."[4]

In den zurückliegenden 30 Jahren bereiste Arthur Miller als Botschafter des Friedens, aber stets auch als scharf beobachtender Schriftsteller zusammen mit seiner dritten Frau Inge Morath, die er 1962 heiratete, viele Länder der Erde. Zu seinen eindrucksvollsten Erlebnissen zählten die erste Russland-Reise (1968) und die Besuche Chinas (1978 und 1983). Einen weiteren Höhepunkt stellte ein Besuch bei Gorbatschow in Moskau dar (1986), der zu seiner vollen Rehabilitierung in Russland führte, wo ein Teil seiner Schriften nach 1969 verboten war. Dennoch konnte Arthur Miller nicht auf Anhieb seine Skepsis über die Wirklichkeit von Veränderungen ablegen:

„Unsere Geschichte ist das Gepäck unserer Köpfe, und ich trug schwer daran, als ich den Parteivorsitzenden beobachtete (...) Inzwischen hörte ich mit der Skepsis eines alten Mannes gegenüber echten Veränderungen zu, wie Michael Gorbatschow uns Westler mit der Liberalität seines Denkens beeindruckte. Aber ich glaubte zu wissen, was er wollte, und es war ermutigend,

4 B. Murphy, S. 19

denn hinter der neuen Toleranz musste mehr als seine Persönlichkeit stehen. Die Parteiführung musste erkannt haben, dass technologischer Fortschritt unter einer Regierung unmöglich ist, die dem eigenen Volk und allen Ausländern nur mit paranoider Angst und mit Misstrauen gegenüber stand.“[5]

Literarische Früchte dieser Reisen, auf denen es zu vielen offiziellen und privaten Begegnungen mit Vertretern aus Politik, Kultur und Wissenschaft kam, waren u. a. der kritische Reisebericht *In Russia* (1969), zu dem seine Frau die Fotos lieferte, *Chinese Encounters* (1979), ebenfalls von seiner Frau dokumentiert, und *Salesman in Beijing* (1984), ein Buch über die Theaterarbeit mit einem chinesischen Ensemble. –
Bis zum allmählichen Rückzug aus der Weltöffentlichkeit nach seinem 80. Geburtstag (1995) trat Miller in Wort und Schrift weiterhin unüberhörbar für die Freiheit der Schriftsteller in aller Welt ein, gab er diesem Thema, dem er sich ganz verschrieben hatte, mit seiner Persönlichkeit Profil und Gewicht. Noch 1993 trug er zu einer Anthologie mit dem Titel *Censored Books: Critical Viewpoints* bei.
Arthur Millers Schriftsteller-Laufbahn ist ‚typisch amerikanisch‘ zu nennen, in der ihn nicht nur Glück und Können, sondern Mut, Entschlossenheit und Durchsetzungshärte zu Erfolg und hohen Anerkennungen führten. Die durch sein gesamtes Schaffen gehende Frage nach dem Menschsein unter sinnvollen Wertordnungen kommt in dem bekanntesten Bühnenstück *Death of a Salesman* in wohl reifster und komplexester Form zum Tragen. Auch in diesem Stück ordnete Miller die Wahl seiner dramatischen Mittel der Gesamtaussage unter, wobei ergänzend anzumerken ist, dass für ihn das künstlerische Experiment nie selbstzweckhaft in Erscheinung trat.

5 A. Miller: *Zeitkurven*, S. 743

1.3 Angaben und Erläuterungen zu wesentlichen Werken

Arthur Millers Werkschaffen zeigt drei erkennbare Genre-Schwerpunkte: Drama, Essay, Erzählung. Dass er sich auch noch in anderen Genres bewährte (Rundfunk-Feature, Reisebericht, Hörspiel, Drehbuch), entspricht nur allzu zwingend seinen breit angelegten Betätigungsfeldern zwischen Kunst und Politik. Die beherrschende Mitte seines umfangreichen literarischen Werkes ist jedoch das Drama. Miller wuchs in das noch junge amerikanische Drama regelrecht hinein und wurde folgerichtig auch einer seiner auffälligsten Neuerer. Eugene O'Neill und Thornton Wilder standen am Beginn des modernen amerikanischen Theaters, in dem es bis dahin keine dem europäischen Theater vergleichbare Entwicklung gegeben hatte.[6] Bereits mit einem seiner ersten Stücken, *No Villain* (1938), dessen sozialkritische Komponente keineswegs zufällig war, machte sich Arthur Miller zum Anwalt eines avantgardistischen Theaters, das sich dem europäischen Aufbruchtheater des ausgehenden 19. und beginnenden 20. Jahrhunderts verpflichtet sah. Auf den dramatischen Ahnherrn Henrik Ibsen wurde bereits hingewiesen. Miller fühlte sich dem norwegischen Schriftsteller wesensnah verwandt und entdeckte Züge in dessen Werken und Persönlichkeit, die ihm halfen, die eigene menschliche wie künstlerische Individualität zu entwickeln:

Anfänge in der Tradition des europäischen Theaters

6 Vom amerikanischen Theater kann man erst von Beginn des 20. Jahrhunderts an sprechen. Zwar gab es 1736 bereits ein erstes Theaterhaus (Charleston, South Carolina), aber eine wirkliche Gattungsentwicklung wurde erst durch Autoren wie E. O'Neill (1888–1953), E. Rice (1892–1967), C. Odets (1906–1963) oder Thornton Wilder (1897–1975) angestoßen.

„...ich lernte erst später Strindberg kennen und die mystische, im Gegensatz zur sozialreformerischen Seite von Ibsen und die deutschen Expressionisten."[7]

Arthur Miller und die gleich ihm jüngeren amerikanischen Dramatiker überwanden rasch die formalen Elemente der europäischen Gattungsbeispiele und schufen ein eigenes Theater, in dem sie die drängenden Fragen und Probleme ihrer Zeit verarbeiteten, „Kritik an den puritanischen Traditionen, Verlust der Geborgenheit in der neuen Welt, Konfrontation des Individuums mit dem kollektiven und eigenen Unterbewusstsein, Gegensatz von Bürger und Künstler, das Rassenproblem"[8] und anderes. Neben Arthur Miller trat Tennessee Williams mit seinen formal neuen und psychologisch aufwühlenden Bühnenstücken besonders auffällig hervor.[9] In beachtlichem Maße sah sich das amerikanische Theater der Jahre 1930–1950, in denen Arthur Miller an *Death of a Salesman* schrieb, weitreichend von der Entwicklung des neuen Mediums Film beeinflusst (Projektionen, Rückblenden, Montagen).

entscheidende Anstöße durch den Regisseur E. Piscator und den Dramatiker T. Williams

Eine tragende Rolle für die Profilierung des jungen amerikanischen Theaters spielte der 1938 in die USA emigrierte deutsche Regisseur Erwin Piscator (1893–1966). Er leitete den berühmten „Dramatic Workshop of the New School for Social Research" in New York, den die amerikanische Regierung unter Präsident Theodore Roosevelt zur Förderung des wirtschaftlichen und kulturellen Wachstums am Ende der *Great Depression* eingerichtet hatte. Piscator trat für ein konsequent

7 A. Miller: *Zeitkurven*, S. 278

8 W. Karrer/E. Kreutzer, S. 48

9 Tennessee Williams (1911–1983) wird zu den großen Erneuerern des amerikanischen Theaters gerechnet. Zu seinen bekannten Stücken zählen *The Glass Menagerie* (1944) und *A Streetcar Named Desire* (1947). – Vgl. dazu den Band 382 unserer Erläuterungsreihe.

politisch orientiertes Theater ein. In beispielhafter Zusammenarbeit entwickelten Autoren, Regisseure und Schauspieler Bahnbrechendes für die Bühnen der ganzen Welt. Leitendes Prinzip der Arbeit Piscators war das „learning by doing" (heute ein pädagogischer Säulenbegriff).
Arthur Miller profitierte ungemein von der Theaterarbeit unter Piscator, aber sein gesellschaftspolitisches Engagement nahm sich zurückhaltender aus. Sein Schaffen war bei aller Leidenschaft für das Theater und für die zu bewältigenden Themen durch Sachlichkeit und *Common Sense* geleitet. Es blieb stets ein Theater, das auch auf die Weiterentwicklung der Individualität des Dramatikers selbst gerichtet war. Den Durchbruch zu sich selbst allerdings verschaffte ihm der Besuch eines Stückes von T. Willams *(A Streetcar Named Desire*, 1948):

> *„Endstation Sehnsucht – besonders in den ersten Aufführungen, als die Schauspieler beinahe noch ebenso wie die Zuschauer über die Vitalität dieser Theatererfahrung staunten – öffnete mir eine bestimmte Tür. Mich bewegten nicht so sehr die Handlung, die Gestalten oder die Regie, es waren die Worte und ihre Befreiung, die Freude des Autors am Schreiben, die strahlende Beredtheit der Komposition, die mich mehr bewegten als das Pathos (...) Beschwingt und beflügelt kehrte ich nach New York zurück."*[10]

Nach dieser Erfahrung stürzte sich Miller in sein *Drama Death of a Salesman*,das ihn bereits eine ganze Zeit beschäftigt hielt, und brachte es bald darauf erfolgreich zu Ende. (⇒ **2.1**) In Millers gesamtem Schaffen nimmt dieses Drama zwischen dem zwei Jahre früher geschriebenen Stück *All My Sons* und dem 1953 veröffentlichten *The Crucible* nicht nur zeitlich einen zentralen Platz ein.

---

10 A. Miller: *Zeitkurven*, S. 241 f.

All My Sons (1947) ist als das Henrik Ibsen am deutlichsten verpflichtete Drama bezeichnet worden, „his most consciously Ibsenesque play",[11] d. h. als das konventionellste seiner bedeutenden Stücke. Im Gegensatz zu dem „privaten" *Death of a Salesman* ist *The Crucible*, dem ich mich hier in einem kleinen Exkurs zuwenden möchte, das politischste.[12] Es störte die amerikanische Öffentlichkeit geradezu auf. Am Broadway konnte es es sich nur halten, weil die Schauspieler auf einen Teil ihrer Gage verzichteten und weil es immer wieder Zuschauer gab, die es wagten, sich das Stück trotz schärfster behördlicher Polemik und Verfolgung anzusehen.[13] Das Drama wurde auch in Deutschland rasch populär.

The Crucible – „heißes" Thema – große Kunst: Millers politischstes Drama

A. Miller hatte gründliche Vorstudien zur Geschichte Neu-Englands und des Puritanismus (⇒ **2.5**) betrieben. Es handelt sich aber nicht um ein Geschichtsdrama im engeren Sinne. In historischem Gewand kritisiert das Drama die damalige innenpolitische Situation der USA unter dem ‚Kommunistenfresser' McCarthy. Miller stellte sich scharf gegen Denunziation und jeden Missbrauch von (politischer) Macht, deren Opfer zusammen mit zahlreichen anderen amerikanischen Schriftstellern auch er geworden war.[14] Das Stück weist aber über die zeitbezogene Aktualität hinaus, indem es Massenwahn und Ängste als wiederkehrende Erscheinungen jeder Zeit, gerade unserer modernen, eindringlich thematisiert.

---

11 B. Murphy, S. 15

12 Viele der übrigen Werke Arthur Millers sind ebenfalls politisch motiviert bzw. greifen geschichtliche oder zeitgeschichtliche Fragen und Probleme auf, z. B. *Focus, After the Fall, Incident at Vichy, The Price oder The Archbishop's Ceiling.*

13 Chr. Bigsby, S. 3

14 Auch der damals im Exil lebende deutsche Dramatiker Bertolt Brecht (1898–1956) kam vor einen der „parlamentarischen Untersuchungsausschüsse", ehe er nach Deutschland zurückkehrte. – Vgl. ausführlich Arthur Miller: *Zeitkurven*, S. 127 ff.

Zu diesem Bühnenstück hat Miller auffallend ausführliche Kommentare geschrieben, die sich stellenweise zu historisch-kritischen Exkursen ausweiten.[15] Sie gehen beträchtlich über das in ‚Bühnenanweisungen' Übliche hinaus. Der deutsche Titel *Hexenjagd* macht unmissverständlich deutlich, worum es in diesem Drama geht. Das englische Wort *crucible* bedeutet ‚Schmelztiegel', ein Behältnis also, in dem Stoffe voneinander getrennt, das Wertvolle von der Schlacke geschieden wird. Es dürfte schwer fallen, ein deutsches Äquivalent zu finden, das den Sinn des von Miller im Titel gemeinten genau träfe. *Hexenjagd* hat sich in der deutschen Theaterlandschaft als ein sehr zugkräftiger Titel erwiesen, der die richtigen Assoziationen weckt. Miller hebt in einer Anmerkung, die der Buchausgabe vorausgeschickt wird, ausdrücklich hervor, dass das Schicksal jeder einzelnen Gestalt genau dem ihres geschichtlichen Vorbildes entspricht:

> *„The fate of each character is exactly that of his historical model, and there is no one in the drama who did not play a similar – and in some cases exactly the same – role in history."*[16]

Anzumerken ist, dass es sich trotz penibler Recherchen und der Verwendung authentischer Quellen (Briefe, Gerichtsprotokolle etc.) um ein Schauspiel handelt, in dem – allein aus dramaturgischen Gründen – Fügungen des Autors selbstverständlich und notwendig waren. Dennoch gibt dieses Drama ein wahrheitsgetreues Bild eines der furchtbarsten Kapitel der frühen amerikanischen Geschichte wieder, die sich unter den ordnenden Händen des Autors aus sich selbst heraus als große Tragödie offenbart. Was liegt Millers Drama historisch zu Grunde? Ich zitiere eine englischsprachige Zusammenfassung der Ereignisse unter der Überschrift „*The Witches of Salem*":[17]

15 z. B. A. M. *The Crucible*, S. 13–17; 37–40
16 A.M: *A Note on the Historical Accuracy of the Play*, S. 11
17 aus: *An Outline of American History*, S. 45

„In 1692 a group of adolescent girls in Salem Village, Massachusetts, became subject to strange fits after hearing tales told by a West Indian slave. When they were questioned, they accused several women of being witches who were tormenting them. The townspeople were appalled but not surprised: belief in witchcraft was widespread throughout 17th-century America and Europe. What happened next – although an isolated event in American History – provides a vivid window into the social and psychological world of the Puritan New England. Town official convened a court to hear the charges of witchcraft, and swiftly convicted and executed a tavern-keeper, Bridget Bishop. Within a month five other women had been convicted and hanged. Nevertheless the hysteria grew, in large measure because the court permitted witnesses to testify that they had seen the accused as spirits or in vision. By its very nature, such ‚spectral evidence' was especially dangerous because it could be neither verified nor subject to objective examination. By the fall of 1692, more than 20 victims, including several men, had been executed, and more than 100 others were in jail – among them some of the town's most prominent citizens. But now the hysteria threatened to spread beyond Salem, and minsters throughout the colony called for an end of the trials. The governor of the colony agreed and dismissed the court. Those still in jail were later acquitted or given reprieves. The Salem witch trials have long fascinated Americans. On a psychologic level, most historians agree that Salem Village in 1692 was seized by a kind of public hysteria, fueled by a genuine belief in the existence of witchcraft. They point our that, while some of the girls may have been acting, many responsible adults became caught up in the frenzy as well. – But even more revealing is a closer analysis of the identities of the accused and the accusers. Salem Village, like much of colonial New England at that time, was undergoing an economic and political transition from a largely agrarian, Puritan-

dominated community to a more commercial, secular society. Many of the accusers were representatives of a traditional way of life tied to farming and the church, whereas a number of the accused witches were members of the rising commercial class of small shopkeepers and tradesmen. Salem's obscure struggle for social and political power between older traditional groups and newer commercial class was one repeated in communities throughout American history. But it took a bizarre and deadly detour when its citizens were swept up by the conviction that the devil was loose in their homes. – The Salem witch trials also serve as a dramatic parable of the deadly consequences of making sensational, but false, charges. Indeed, a frequent term in political debate for making false accusations against a large number of people is ‚witch hunt'."

In *The Crucible* wird die Frau des Bauern John Proctor, Elisabeth, angeklagt, an Hexereien beteiligt zu sein. Sie ist unschuldig und wird zusammen mit ihrem Mann, der sich vergeblich gegen die Anklage wehrt und schließlich auch vor den Richter kommt, zum Tode verurteilt und hingerichtet.

Death of a Salesman hat nicht die Schärfe und Unerbittlichkeit von *The Crucible.* Der Untertitel *(Certain Private Conversations ...)* sollte nicht zur Annahme verleiten, es handele sich um ein harmloses Kammerspiel. Das Drama wartet mit eindringlichen zeit- und gesellschaftskritischen Momenten auf. Es zeigt sich darin aber auch etwas von dem, was der große deutsche Dramatiker Gerhart Hauptmann mit dem „Ewigkeitsschicksal des Menschen" bezeichnet hat, das darzustellen ihm wichtiger war als das „zerebral bewusste Schicksal einer Epoche". Dasselbe lässt sich zum Werk Arthur Millers sagen, wenngleich dessen politische Streitbarkeit zeitlebens konturenschärfer ausgebildet war als die eines Gerhart Hauptmann.

2. Textanalyse und -interpretation

2.1 Entstehung und Quellen

In seiner Biografie ***Timebends/Zeitkurven*** liefert uns Arthur Miller aufschlussreiche Details über die Entstehung und Aufnahme dieses, seines erfolgreichsten Dramas. Es handelt sich nicht um einen Geniestreich des damals 32-jährigen Dramatikers, der sich bis dahin mit zahlreichen Veröffentlichungen einen Namen gemacht, aber noch kein reifes Meisterstück abgeliefert hatte. *All My Sons* hatte mehr als nur flüchtige Aufmerksamkeit in der Öffentlichkeit erzielt. Miller war für dieses Stück in New York ausgezeichnet worden. – Im Leben hatte Arthur Miller einige Höhen und Tiefen durchlebt (siehe Biografie). Aus den vielen Erlebnissen und Begegnungen mit ganz unterschiedlichen Menschen versuchte Miller einen immer wiederkehrenden Einfall zu einem organischen Stück Literatur zusammenzufügen:

> *„In dieser Zeit war ich besessen von verschwommenen, aber aufregenden Bildern einer Flugbahn – anders kann man es nicht bezeichnen. Mir schwebte ein Bogen des Erzählens ohne Zwischendialoge und ohne einen einzigen festgelegten Schauplatz vor. Diese Methode würde den Kopf eines Menschen öffnen, damit das Stück darin stattfinden konnte und sich durch gleichlaufende und nicht aufeinander folgende Handlungen entwickelte."*[18]

Noch war Miller nicht exakt zur Mitte seines Vorhabens vorgedrungen, aber es zeichneten sich die Figuren und Konturen für ein Drama, das schließlich *Death of a Salesman* heißen

---

18 A. Miller: *Zeitkurven*, S. 174

würde, bereits deutlich ab. Die Figur eines Handlungsreisenden war dabei keineswegs zufällig oder fiktiv; Miller hatte unter seinen Bekannten einige, die ihm als Vorbilder für seine Zentralfigur geeignet schienen. Darüber hinaus bot ihm (außer Ibsen und O'Neill) der expressionistische Dramatiker Georg Kaiser, seinerzeit in den USA recht bekannt, anschauliche Beispiele für die dramaturgische Realisationsmöglichkeiten seiner Grundidee.[19] Ohne das Beispiel Tennessee Williams' scheint das Stück, so wie Miller es dann Zug um Zug entwickelte, schlechterdings undenkbar (siehe oben). Nach dem befreienden Theatererlebnis schrieb Arthur Miller bis zum Umfallen:

> *„Ich schrieb den ganzen Tag bis zum Dunkelwerden. Dann aß ich etwas, kehrte in die Hütte zurück und schrieb bis irgendwann zwischen Mitternacht und vier Uhr morgens (...) Am nächsten Morgen hatte ich die erste Hälfte geschafft: den ersten von zwei Akten."*[20]

Death of a Salesman – ein Werk wie aus einem Guss

Der Titel fiel im im Laufe seiner Arbeit wie von selbst zu. – Die Einstudierung und Inszenierung des Stückes für das New Yorker Morosco Theatre war eine echte Gemeinschaftsleistung von Regisseur (Kazan[21]), Autor (A. Miller), Bühnenbildner und dem Beleuchtungsfachmann. Das Stück wurde dann – auch durch die großartige Schauspielkunst seiner Hauptdarsteller – zu einem grandiosen Erfolg. Die Lobpreisungen klangen laut in Millers Ohren: „Arthur Miller hat

---

19 Georg Kaiser (1878–1945), der zwischen 1915 und 1933 zu den am meisten gespielten deutschen Dramatikern zählte, schrieb eine ganze Reihe zeitkritischer Stücke. Die bekanntesten sind: *Die Bürger von Calais* (1917), *Gas I* (1918), *Gas II* (1920) und *Die Lederköpfe* (1928)

20 A. Miller: *Zeitkurven*, S. 244

21 Mit großem Engagement war der Regisseur Elias Kazan, der zuvor schon bei der Uraufführung von *All My Sons* (29. Januar 1947) Regie geführt hatte, für das Stück und seinen Autor eingetreten.

ein superbes Drama geschrieben. Aus jedem Gesichtspunkt ist es reich und denkwürdig" – so der Kritiker Brook Atkinson.[22] Es gab auch andere Kritiken, die das Stück als „a hodge-podge of dated materials and facile new ones", als „an intellectual muddle", als „unpleasantly pompous", „clumsy" und „flat" bezeichneten.[23] Abwertende Stimmen hin oder her – Arthur Miller hatte sein Traumziel erreicht:

kaum nachvollziehbare Kritik

> *„Mein ganzes Leben lang hatte ich darum gekämpft, den Sieg dieses Abends zu erringen. Da war er nun. Ich war der gefeierte Mann."*[24]

Es kennzeichnet Arthur Miller als Künstler und Menschen, dass er trotz der sich überschlagenden Erfolge gerade dieses Stückes mit beiden Beinen auf der Erde blieb. *Death of a Salesman* hielt in der Folge, was die ersten Aufführungen gezeigt hatten: Das Stück gewann und berührte sein Publikum, wo immer es gespielt wurde. (⇒ **4.**)

---

22 in: A. Miller: *Zeitkurven*, S. 256

23 Eleanor Clark im Partisan Review, Juni 1949, zitiert nach S. Barker, S. 240
Weitere kritische Stimmen werden im Kapitel 2.6 (Fußnote 42) zitiert. – Neben dem Beitrag von Stephen Barker mache ich besonders auf den Titel von Gerald Weales aufmerksam *(Text and Criticism)*, siehe Literaturverzeichnis.

24 A. Miller: *Zeitkurven*, S. 256 f.

2.2 Inhaltsangabe

Der alt gewordene Handelsreisende Willy Loman hat bessere Tage gesehen. Seine Tätigkeit fällt ihm immer schwerer, und in härter gewordenen Zeiten bleiben die Erfolge aus. Er klammert sich in seinen Gedanken an das Vorbild eines Dave Singleman, Handlungsreisender wie er, der bis in das hohe Alter hinein erfolgreich, bekannt und beliebt war. Willy Loman hat sich ein Gebäude aus Selbsttäuschung und Irrglauben aufgebaut, das er auf die ganze Familie überträgt, auf seine Frau Linda und die beiden Söhne Biff und Happy. Die beiden Loman-Söhne haben ihre eigenen Hoffnungen und Erwartungen nicht erfüllt, auch nicht die ihres Vaters, der trotzdem auf Biff große Stücke hält. Linda tut ihr Bestes für ihren Mann in der schwieriger gewordenen Lebenssituation, wie sie immer ihr Bestes getan hat. Aber sie hat auch wider besseres Wissen versäumt, ihm die Augen für die Wirklichkeit zu öffnen. Beide halten an dem geschönten Bild eines Gestern fest, das von Willys hohler Erfolgsprahlerei und von einem gegenüber Linda verheimlichten Treuebruch bedrohlich überschattet ist. Biff hatte seinen Vater vor vielen Jahren ‚in flagranti' erwischt, als er ihm nach Boston nachreiste, um ihm seinen verpatzten schulischen Abschluss zu gestehen, ihn um Rat und Hilfe zu bitten. Der Sohn hat seinem Vater den Fehltritt nie verziehen, und daraus resultiert eine anhaltend gestörte Vater-Sohn-Beziehung, die das Leben der Familie stark belastet. Die Wirklichkeit wird bei den Lomans schöngeredet, und Willy Loman vernebelt sie durch die aufrechterhaltene Fiktion, er sei (wie ehedem Dave Singleman) in seinem Beruf so etwas wie eine Legende. Sowohl er als auch die Söhne setzen auf die Illusion, ihr Leben in New York mit geliehenem

Die Lomans: keine heile Familie, keine heile Welt

Geld (Biff) und einem neuen Job (Willy) nun festigen zu können. Alles wird nur schlechter. Biff bekommt den erhofften Kredit nicht, und Willy verliert seine Arbeit sogar ganz. – Bis zu diesem Zeitpunkt hat er durch Geld, das er sich wöchentlich von einem Nachbarn geliehen und vor Linda als einen Teil seines Verdienstes ausgewiesen hat, verbergen können, wie es wirklich um seine Finanzen steht. Nun ist er vollständig mittellos und am Ende mit sich selbst. Er entschließt sich, durch Selbstmord sein Leben zu beenden. Ansätze dazu hatte er in der Vergangenheit mehrfach gemacht. In einem letzten Gespräch finden Biff und sein Vater keinen Anknüpfungspunkt, um ihre Beziehungen grundlegend zu klären. Willy Loman verursacht einen für ihn tödlichen Autounfall und macht dadurch eine größere Summe Geldes aus seiner Lebensversicherung für die Familie frei. – Seine Beerdigung findet im allerengsten Kreis statt.
In den folgenden Ausführungen zu den Inhaltsdetails sind die Passagen, in denen sich Willy Loman in Erinnerungen verliert oder sich in Scheingesprächen mit Personen befindet, mit einem **Ausrufezeichen** markiert.

1. Akt:

Spät am Abend kehrt Willy Loman mit seinen Musterkoffern nach Hause zurück. Er war morgens auf eine Geschäftsreise gegangen, die er unterwegs vor Erschöpfung abbrach. Seine Frau Linda sucht nach Gründen, um das Nachlassen seiner Konzentration beim Fahren und seine sich wiederholenden Erschöpfungszustände zu erklären. (S. 9, Z. 1) – Sie möchte, dass Willy bei seinem Chef um einen Job in der Stadt (New York) bittet. Zuversichtlich geht sie davon aus, dass Howard Wagner etwas für ihn tun kann, um ihm das Reisen zu ersparen. Howards Vater,der Willy Loman sehr schätzte, ist leider tot. Es ist ungewiss, ob Wagner jr. sich davon in seinen Entscheidungen beeindrucken lässt. – Die Söhne der Lomans, Biff (34 Jahre) und Happy (32 Jahre), sind zu Besuch gekommen. Willy freut sich, die Jungen mal wieder im Haus zu haben, obwohl er es immer noch nicht verwinden kann, dass gerade sein Ältester es im Leben zu nichts Richtigem gebracht hat. – Willy und Linda sprechen über die Gegenwart und über Vergangenes. Die Dinge haben sich zum Nachteil verändert, die Zeiten sind schwieriger geworden. (13,19) – Die Jungen sind durch die Gespräche der Eltern aufgewacht. Sie befürchten, dass Willy einmal mehr einen Autoschaden verursacht hat, und äußern sich besorgt über seinen veränderten Gemütszustand. Rasch wenden sie sich dann ihren eigenen Angelegenheiten zu. Im Gespräch der beiden jungen Männer wird deutlich, dass keiner von ihnen mit dem eigenen Leben zufrieden ist. Zwischen Biff und seinem Vater gibt es offenbar tief wurzelnde Spannungen, für die jedoch keine Begründungen genannt werden. Auch Happy hat seine Probleme. (22,17) Mit seinen Frauenaffairen überspielt er sie nur oberflächlich. Biff, der sich als Farmgehilfe sein Geld verdient hat, kommt auf den Gedanken, sich von einem gewissen Bill Oliver, für den er früher gearbeitet hat, Geld zu leihen. Er möchte ein eigenes Unternehmen aufbauen. Obwohl er ihm als Junge einen Satz Bälle gestohlen hatte, ist er jetzt optimistisch das Geld zu bekommen. (25, 7 f.)

!

Willy Loman verliert sich in Erinnerungen an vergangene Zeiten. Gewiss: manches war besser,aber es gab auch Konflikte,und die Lomans lebten in Manchem an der Wirklichkeit vorbei. Willy vergegenwärtigt sich die sportlichen Erfolge, die Biff als Schüler verzeichnen konnte. Einen schulischen Abschluss hatte er allerdings nicht geschafft. Der Nachbarsohn

Bernard war gekommen, um mit Biff für die Prüfung zu lernen. Er wurde ausgelacht, weil er als unsportlich und streberhaft, als blasser Stubenhocker galt. – Willy Loman war stolz auf seine Söhne, und irgendwann würde er sie auf eine seiner Geschäftsreisen mitnehmen, um ihnen zu zeigen, wie bekannt und beliebt er überall war. Dann hielt er Biff und Happy einen der Lebensgrundsätze vor Augen, an die er selbst glaubte: beliebt zu sein ist wichtiger als gute Noten in der Schule. (34, 9) Biffs Beliebtheit bei seinen Freunden stand außer Frage, und auch Willy konnte sich, nach seinen eigenen Aussagen, allgemeiner Wertschätzung erfreuen. –

Linda, die schon zur Zeit ihrer Ehe mehr in der Wirklichkeit stand als ihr Mann, hat nie aufgehört, an ihn zu glauben. Sie macht ihm auch jetzt wieder Mut.

Er gerät erneut ins Träumen, als er sich an eine Frau erinnert (The Woman), mit der er vor Jahren ein Verhältnis hatte. (40) Willy fühlt sich schuldig gegenüber Linda. Er versteigt sich in krasse Gedankenbilder, in denen er Bernard, der erneut zu Biff kommt, laut schimpfend aus dem Haus wirft. (42, 14)

!

Vorübergehend hat Willy jegliche Kontrolle über sich verloren und ist laut geworden. Es ist Happy, der seinen Vater in die Wirklichkeit zurück holt. (43, 3) Willy Loman spricht über seinen Bruder Ben und dessen beruflichen Erfolg. – Besorgt über Willys lautstarkes Argumentieren, kommt Bernards Vater Charley zu den Lomans rüber. Im Gegensatz zu Willy ist Charley ein gut situierter Geschäftsmann. Er schätzt die Lage der Lomans richtig ein und bietet seinem Nachbarn an, für ihn zu arbeiten. (45, 19) Willy Loman ist zu stolz, das Angebot anzunehmen. Darüber hinaus lehnt er Charley ab, weil dieser, wie Bernard, sportlich ein Versager ist und nicht das geringste handwerkliche Geschick zeige. (46, 24)

Ben – ein viel bewundertes, aber fragwürdiges Vorbild

Zum ersten Mal kommen in diesem Gespräch Erinnerungen Willys an seinen Bruder Ben auf, der als junger Mann sein Glück in der Ferne suchte und fand. Ben war für Willy eine Art Ersatzvater geworden, nachdem ihr eigener Vater nach Alaska gegangen war, ohne sich um die Familie weiter zu kümmern. (50, 16) Ben hatte seinen Bruder damals mitnehmen wollen, aber Willy hatte sich dazu nicht entschließen können. Anstatt nach Alaska gelangte Ben nach Süd-Afrika und wurde ein reicher Mann. Nun tritt er auf, verweilt aber nur kurz im Hause der Lomans. Willy gerät wieder in tiefe Nachdenklichkeit und möchte mit sich allein sein. (56, 15)

Biff und Linda – ein wenig später kommt Happy hinzu – unterhalten sich über Willy. Linda macht ihrem Ältesten klar, wie sehr ihr Vater gerade ihn brauche. Seit Wochen arbeite er auf Provisionsbasis, nachdem die Firma ihm das Grundgehalt gestrichen habe. Alle haben Willy verlassen, aber sie seien nicht undankbarer als die eigenen Söhne, die sich nicht die geringsten Gedanken darum machten, wie es dem Vater wirklich ginge. (61, 24 f.) Die größte Sorge bereite ihr aber der Verdacht, dass Willy an Selbstmord zu denken scheine. (63, 25) Biff ist konsterniert und verspricht seiner Mutter, es zukünftig mit einer Arbeit in New York zu versuchen. – Willy kommt von seinem Spaziergang zurück. Sofort flammt ein Streit auf, der aber nicht eskaliert, weil Willy Feuer und Flamme ist, als er von Biffs Plänen erfährt. Wie immer, wenn es um Biff geht, gerät Willy auch hier in unrealistisches Schwärmen. Er sieht seine beiden Söhne bereits als gemachte Männer („one-million-dollar-idea" – 68, 17). Dann gibt er Ratschläge, wie Biff sich bei seinem Antrittsbesuch zu verhalten habe. Linda mischt sich ein und wird von ihrem Mann heftig angefahren. Biff tritt für seine Mutter ein, und die optimistische Stimmung, die noch vor wenigen Minuten herrschte, ist dahin. – So rasch wie Willy aufbrauste, so rasch sinkt er wieder in sich zusammen. Schuldbewusst zieht er sich ins Schlafzimmer zurück. – Linda kann Biff überreden, seinem Vater gut zuzureden und den Vater nicht ohne ein Zeichen der Versöhnung einschlafen zu lassen. Biff und Happy kommen dem nach. Sodann entfernt Biff nicht ohne wirkliches Erschrecken den Gasschlauch vom Heizkessel (74, 22), während Willy sich wieder an Träume und Erinnerungen von der Größe und Besonderheit Biffs verliert.

2. Akt:

neue Aussichten – große Hoffnungen

Am nächsten Morgen sehen wir die Lomans guter Dinge am Frühstückstisch sitzen. Willys Freude über seinen offenbar zur Vernunft gekommenen ältesten Sohn ist groß. Umso leichter fällt ihm selbst der Entschluss, bei Howard Wagner vorstellig zu werden und ihn um eine Stelle in New York zu fragen. Die Lomans unterhalten sich über anstehende Reparaturen und Zahlungen. Nach 25 Jahren ist endlich die letzte Rate der Hypothek für das Haus zu zahlen; aber auch die Prämie für Willy Lebensversicherung ist fällig. (77, 23) – Linda erzählt ihrem Mann von dem Vorschlag der Söhne, ihn nach erfolgreicher Verhandlung am Abend in einem kleinen Restaurant zu treffen. Gut gelaunt macht Willy Loman sich auf den Weg zu seinem Arbeitgeber. – Linda erfährt von Biff, dass er den Gasschlauch abgezogen habe. Das macht sie nicht weniger froh, als wenn Willy es selbst getan hätte. (80, 13) Sie ermahnt Biff, liebevoll zu seinem Vater zu sein. Möglicherweise bringe auch er gute Nachrichten mit. Sie zweifelt nicht einen Augenblick daran, dass die Gespräche erfolgreich verlaufen. – Als Willy das Büro betritt, ist Howard mit einem Tonbandgerät beschäftigt. Wieder und wieder hört er die Stimme seiner Frau und seiner Kinder ab. Er nimmt seinen Reisenden gar nicht richtig wahr. Erst nach einiger Zeit schenkt er ihm Aufmerksamkeit. (84, 5) Willy kann Howard Wagner nicht dazu bringen, ihm in New York gegen ein bescheidenes Gehalt eine kleine Bürotätigkeit zu übertragen. (87, 10) Das Gegenteil tritt sogar ein: Ohne auf die langjährige Firmenzugehörigkeit Willy Lomans Rücksicht zu nehmen, teilt Wagner jr. ihm mit, dass der im Dienst alt gewordene Handlungsreisende dem Betrieb nicht länger nütze und spricht die Kündigung aus. (90, 4 f.) –

!

Willy nimmt wieder Zuflucht bei Ben, der kurz und eilig die Bühne betritt. Erneut lehnt Willy ab, New York zu verlassen und sich seinem Bruder anzuschließen. Auch Linda weist Bens Vorschläge mit dem Hinweis auf Willys gesicherte Zukunft schroff zurück. (91, 18–25) Willy Loman sucht bei Ben nach einer Bestätigung für eine seiner Hauptthesen, dass es genüge, Kontakte zu pflegen, um in der Welt bestehen zu können. Ben zieht sich zurück, ohne Willy Recht zu geben. Er macht ihn lediglich darauf aufmerksam, dass er ein Vermögen vor der Tür liegen lasse, wenn er das Angebot mitzugehen abermals ausschlage. – Ein großes Footballspiel steht bevor, auf das sich Biff vorbereitet. Es herrscht in der ganzen Familie große Aufregung. Bernard kommt hinzu, dann auch Charley. Er reißt seinen Nachbarn mit einigen locker-ironischen Bemerkungen aus der kindischen Begeisterung, die dieser kaum zügeln kann vor Freude über den sportlichen Sohn. Willy ist sichtlich verärgert (96, 6 f.); beide treten ab. –

In gereizter Stimmung erscheint Willy bei Charley, dessen Sohn gerade zu Besuch bei ihm ist. Willy wird freundlich empfangen. (97, 12 ff.) Er ist überrascht und braucht einige Minuten, um seine Befangenheit abzulegen. Das Gespräch geht von höflichem Hin und Her zur aktuellen Situation über zu Themen der Vergangenheit. Willy vertraut Bernard, dessen augenscheinlicher sozialer Aufstieg ihn stark beeindruckt, einen seiner großen Sorgenpunkte der Vergangenheit an: Biffs gründliches Scheitern in der Schule. Bernard geht sofort darauf ein und spricht Biff frei von alleiniger Schuld. Er fragt Willy sehr direkt nach dem Hintergrund dessen, was sich im Anschluss an die Examenspleite offenbar in Boston ereignet und Biff gänzlich aus dem Tritt gebracht hatte. (100, 24 ff.) Willy weicht aus. – Charley tritt auf. Er ist bester Laune und mahnt seinen Sohn, den Zug nach Washington nicht zu verpassen, schließlich handele es sich um einen äußerst wichtigen Termin. Bernard verabschiedet sich von Willy und seinem Vater. (102, 7) – Beiläufig will Charley seinem alten Freund und Nachbarn Geld zustecken, aber Willy gesteht, dass er seinen Job los sei und dieses Mal mehr benötige. Charley ist sofort bereit, ihn einzustellen, um ihn damit aller Sorgen zu entheben. Willy lehnt ab, nimmt aber dankbar das Geld für seine Versicherungsprämie an und betont, dass Charley der einzige wahre Freund sei, der ihm noch geblieben wäre. (105, 22 f.) – Inzwischen erwarten ihn seine beiden Jungen in dem Restaurant, in dem sie verabredet sind. Happy versucht mit tollen Sprüchen und Reden eine junge Frau zu beeindrucken, die am Nebentisch sitzt. Kurz darauf verlässt sie das Restaurant. Biff ist bei Mr. Oliver abgeblitzt; er hat Mühe, die Aufmerksamkeit seines Bruders, dem er darüber berichten möchte, zu gewinnen. Happy besteht darauf, dem Vater die Wahrheit zu verschweigen und ihm stattdessen irgendeine glaubhafte Version aufzutischen, um ihm die Hoffnung und Freude nicht zu verderben. (112, 18 ff.) Willy Loman betritt das Lokal. Er sagt den beiden, dass er ohne Beruf auf der Straße stehe, und Biff ist bemüht, ihm schonend auch den eigenen Misserfolg zu gestehen. Willy fällt ihm immer wieder ins Wort, doch er hat Biffs Erklärungen aufgenommen. Seine Gedanken gehen wieder in die Vergangenheit zurück und vermischen sich mit der Gegenwart.

! Äußerst lebendig hat er den Tag vor Augen, als Biff durch die Mathematik-Prüfung gefallen ist. (117, 2 ff.) –

Sein innerer Aufruhr ist gewaltig, so dass die beiden Jungen das Schlimmste befürchten. Die junge Frau kommt mit einer Freundin zurück. Erregt durch das fruchtlose Gespräch mit seinem Vater, zieht sich Biff für einen Augenblick zurück, und auch Willy verlässt den Raum. Diesen Augenblick nimmt Happy wahr, um Biff mit den beiden jungen Frauen nachzugehen und den Vater allein zu lassen. (124, 1) Stanley, der Kellner, macht einen hilflosen Versuch, die jungen Leute zurückzuhalten. –

! Übergangslos gleitet die Handlung in die Vergangenheit zurück. Willy Loman ist in einem Hotelzimmer in Boston. The Woman ist bei ihm. Biff möchte dringend seinen Vater sprechen. Er platzt in eine für ihn offensichtliche und seinem Vater sehr peinliche Situation. (127, 14 ff.) Biff ist schockiert. Willy Loman kann nichts beschönigen. Er hat das Vertrauen seines Sohnes verloren. (129, 25 ff.)

Willys Erniedrigung und ein tiefer Fall

Willy ist immer noch in seinen Erinnerungsbildern gefangen, als er den Raum wieder betritt. Stanley führt ihn behutsam in die Gegenwart zurück. Willy macht sich auf den

Heimweg. Er wirkt gebrochen. Unterwegs hält er an, um einige Samenkörner für sein Gärtchen zu kaufen. – Energisch weist Linda ihre Söhne zurecht, den Vater allein gelassen zu haben, ja, sie weist Biff sogar die Tür. (134, 9) Happy scheint einsichtig; sein Bruder ist entschlossen, das Gespräch mit seinem Vater zu suchen, obwohl Linda alles tut, ihn daran hindern. Biff findet seinen Vater im Garten, der in dunkler Nacht im Lichtkegel einer Taschenlampe Gemüsebeete ausmisst und neu einrichtet. Er scheint nichts und niemanden wirklich wahrzunehmen.

Willy erläutert Ben seinen Selbstmordplan und holt dazu dessen Rat ein. Nach einigem Zögern kann Ben das Vorhaben billigen. Willys Familie wäre durch die im Falle seines Todes ausgezahlten 20000 Dollars auf der sicheren Seite, und alle, besonders Biff, könnten sehen, welch großartiges Begräbnis er haben würde. (136, 16–24)

Biff möchte New York endgültig den Rücken kehren, jedoch nicht, ohne sich mit seinem Vater ausgesprochen zu haben. Willy ist dazu nicht mehr fähig. Er verkennt die Absicht seines Sohnes und hält ihm vor, die ihm gebotenen Möglichkeiten verspielt und sein Leben selbst verkorkst zu haben. Biff wird daraufhin sehr deutlich und macht seinen Vater für die misslungene Erziehung und sein verfehltes Leben verantwortlich. (142, 2 ff.) Biff erkennt, dass sein Vater ihn nicht verstehen kann. – Linda bringt ihren Mann ins Haus. Er soll sich ausruhen. Auch für ihre Söhne findet sie gute Worte.

Willy taucht wieder in ein Zwiegespräch mit Ben ab. Dieser kann bestätigen, dass Willy diesmal alles richtig machen wird. (146, 5)

Willy fährt das Auto aus der Garage. Die übrigen Familienmitglieder werden durch die Motorengeräusche aufgeweckt. Niemand ist schnell genug, Willy Loman aufzuhalten. (147, 10 ff.)

Requiem:
Nur die engste Familie, Charley und sein Sohn Bernard haben sich zu Willy Lomans Begräbnis eingefunden. Niemand spricht die Wahrheit aus. Für Linda ist das Geschehene unerklärlich. Biff spricht von bösen Träumen, die Willy hatte. Charley schwört die Jungen darauf ein, niemals etwas Schlechtes über ihren Vater zu sagen. Schließlich beteuert Happy großspurig, dass er seinem Vater ein ehrendes Andenken bewahren und dessen Traum verwirklichen werde. (150, 5–9). – Die letzten Worte des Stückes spricht Linda. Das Gefühl der Erleichterung verdrängt bei ihr die Tränen: „We're free ... We're free ..." (150, 29)

2.3 Aufbau

Der ursprüngliche (Arbeits-)Titel des Dramas lautete *The Inside of His Head.* Er verweist auf Vorgänge,die sich im Innern eines Helden abspielen. Indem sie nach außen projiziert werden, können wir als ‚Rezipienten' (Zuhörer/Zuschauer/Leser) daran teilhaben. Folgerichtig gibt es in diesem Drama auch zwei Zeit- und Handlungsebenen bzw. einen ‚Innenraum' für Geschehenes, das ungefähr 15 Jahre vor dem realen Bühnengeschehen stattgefunden hat (die Erinnerungen des Helden), und einen ‚Außenraum' für das, was aktuell geschieht. Das aktuelle Geschehen umfasst 24 Stunden, die Rückblenden und Erinnerungen Willy Lomans beleuchten ausschnitthaft große Abschnitte seiner Biografie. Gegenwart und Vergangenheit, Wirklichkeit und Traum gehen in diesem Stück fließend ineinander über. Licht- und Musikeffekte begleiten diese Wechsel. Während auf der Bühne nur wenig verändert wird (⇒ **2.6**), müssen die Personen ihr Aussehen und ihre Haltung der jeweiligen Situation angleichen. So wird man Willy Loman unverkrampft und spontan in seinen Erinnerungen an glücklichere Zeiten erleben, wohingegen er eingesunken, müde und bar jeder Spontaneität handelt, wenn er sich in der für ihn so schweren Gegenwart bewegen muss:

> *„The play is therefore structured in such a way as to show the pleasures of the past, the dreams or hopes of the past and how these aspects of the past contribute to the agonies of the present."*[25]

Überwindung Ibsen'scher Technik: fliessender Raum-, Zeit- und Bewusstseinswechsel

Obgleich Arthur Miller in diesem Stück einen Aufarbeitungsprozess darstellt, den sein Held an sich und an seiner Vergangenheit (erfolglos) praktiziert, hat dieser Vorgang nichts mehr gemeinsam mit dem analytisch-deduktiven Verfahren, das Henrik Ibsen in seinen Dramen anwandte:

> *„Die Unterscheidung von Gegenwart und Vergangenheit fällt allerdings in sich zusammen, wenn wir uns vergegenwärtigen, dass die Zeitlichkeit in der Bilderwelt des Bewusstseins aufgehoben ist, dass alles zusammen und gleichzeitig in uns existiert. Damit hat Miller die Ibsen'sche Technik überwunden und das Interesse von den Vorgängen, die nach und nach aufgedeckt werden, weg- und auf den Charakter Lomans hingelenkt. Analyse ist auch dies. Denn Lomans Handlungen sind spärlich, voraussehbar, irrelevant. Dafür entsteht, während wir der letz-*

25 J. L. Roberts, S. 9

ten Phase eines Prozesses der Bewusstmachung beiwohnen, mosaikartig ein Bild der inneren Situation dieses Mannes vor uns."[26]

Gegenwartshandlung und die erinnerten Episoden aus der Vergangenheit verteilen sich über zwei ungefähr gleich lange Akte. Die dramatische Zuspitzung bis zur Katastrophe erfolgt ausschließlich im 2. Akt. Die folgende Stationenübersicht zeichnet die leicht zu überschauende Struktur des Dramas zwischen Gegenwartshandlung und Rückblenden nach. Ich beschränke mich dabei auf einzelne Stationen von Willy Lomans hilflosem Rückzug aus dem Leben, der unter dem wachsenden ‚Einfluss' von Ben ganz konsequent mit dem Selbstmord endet. Die von Willy Loman beständig vollzogene gedankliche Pendelbewegung in der stufenweisen Abwärtsbewegung, wie sie an anderer Stelle sehr anschaulich dargestellt worden ist[27], lässt sich grafisch auf eingängige Weise kaum vermitteln. Der Leser sollte in die vorgeschriebenen Raum-, Zeiten- und Bewusstseinswechsel, wie sie im Drama vorgeschrieben sind, stets ‚mit hinein schwingen': Noch einmal R. Lübbren:

„Die Übergänge von der Gegenwart in die geträumte Vergangenheit gehen allmählich vor sich, indem sich beide Ebenen ineinander schieben, so dass Willys Erinnerung, noch ehe sie ganz von ihm und damit von der Bühne Besitz ergriffen hat, für die übrigen Personen als gedankenverlorene Träumerei kenntlich wird. Damit bleibt Willys Erinnerung, auch wenn sie den Fortlauf der Handlung bestimmt, im psychologisch motivierten Bereich der Realität. Lomans Beschäftigung mit sich selbst löst die Gegenwart des Geschehens nicht auf, sondern nur ab."[28]

26 R. Lübbren, S. 50
27 A. Einberger, S. 28/29
28 R. Lübbren, S. 51

Skizze
„Gegenwartshandlung Rückblenden/Erinnerungen"

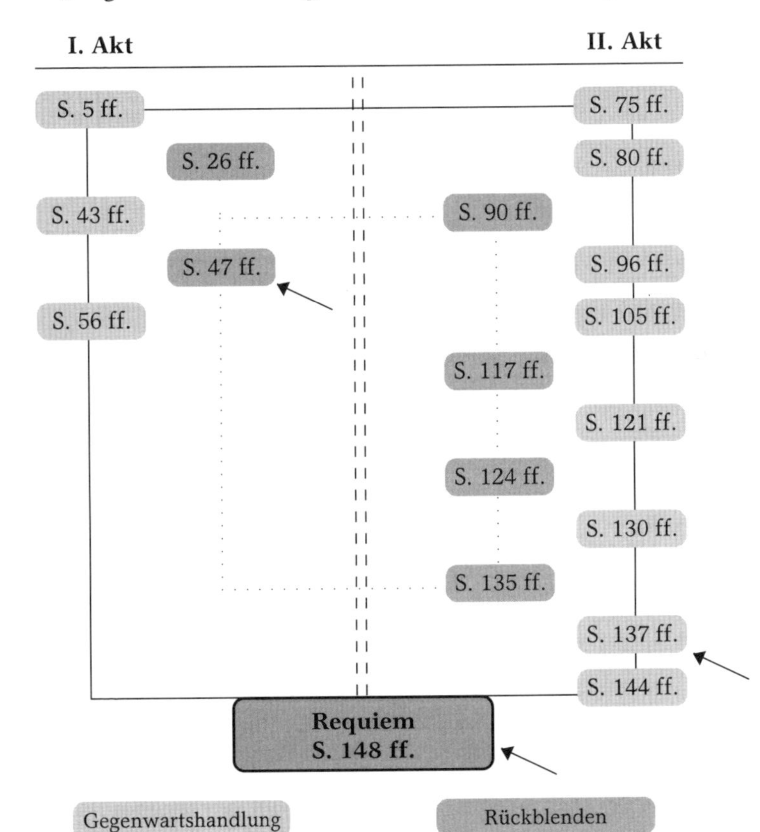

Die mit einem Pfeil gekennzeichneten Szenen sind ausführlich kommentiert (⇒ **2.4**)

2.4 Personenkonstellation und Charakteristiken

Die vier Lomans bilden einen engen Familienverbund trotz aller Probleme, die jeder mit sich selbst und mit den anderen hat. **Linda Loman** ist die stärkste Persönlichkeit innerhalb der Familie, ihr Mann die schwächste. **Biff** und **Happy** weisen viele charakterliche Übereinstimmungen auf. Sie haben sich, jeder auf seine Weise, durchgeschlagen, ohne es im Leben je zu etwas Richtigem gebracht zu haben. Als gestrauchelte und arbeitslose Männer kehren sie in ihr Elternhaus zurück. Sie haben in den Augen ihres Vaters versagt. Im Gegensatz zu Happy tritt Biff allmählich in eine redliche Distanz zu sich selbst. Er akzeptiert sich mit seinen Schwächen, wohingegen der Jüngere nichts dazugelernt hat und der bleibt, der er immer gewesen ist - ein großspuriger, großsprecherischer, egoistischer Möchtegern. - Es ist zutreffend, sie „mittelbar (als) Opfer der Gesellschaft, in der sie leben" zu sehen, „weil die fragwürdigen Ideale, die ihnen der Vater eingeimpft hat, den Anforderungen der Gesellschaft entsprechen."[29] Damit können sie aber nicht von dem Vorwurf freigesprochen werden, sich als Erwachsene - Erziehungsfehler und gesellschaftliche Missbildungen hin oder her - nicht um die Entwicklung einer Lebensperspektive gekümmert zu haben.

Charley und sein **Sohn Bernard** verkörpern das Gegenteil der erfolglosen und im Leben gescheiterten Lomans. Beide haben ihren Platz im Leben gefunden. Zwar sind sie unsportlich und ohne Sinn für die praktischen Dinge des Alltags, aber sie sind zu beruflichen Erfolgen gekommen. Mehr sein als scheinen, handeln anstatt zu reden, zu täuschen und zu ‚philosophieren': an diesen Leitlinien haben sie sich bewährt.[30]

29 R. Lübbren, S. 57

30 Im Amerikanischen bezeichnet der Ausdruck „phony" treffend jemanden, der aufgeblasenes hohles Zeug daherredet (Happy)

Ben, der seine Schäfchen ins Trockene gebracht hat, spielt in dem gesamten Geschehen real nur am Rande mit. Er ist für Willy Loman ein Bezugsbild der Stärke und des erfolgreichen Andersseins, so etwas wie die andere ‚innere' Stimme. Willy braucht ihn als seinen Ratgeber, sucht Halt und Bestätigung in ihm, dem starkem Erfolgsmenschen. Dabei bezieht er sich auf ein fragwürdiges Leitbild, denn Ben wird als ein rücksichtsloser Abenteurer und brutaler Selfmademan gezeigt, der sich für das Schicksal Willy Lomans überhaupt nicht interessiert. – Andere wichtige Figuren des Stückes sind der alte **Silverman**, **Wagner sen**. und dessen Sohn **Howard**. Die Vertreter der alten und der jungen Generation stehen für entgegengesetzte Wert- und Weltvorstellungen. Die beiden Alten treten als Figuren nicht in Erscheinung, vielmehr sind sie für Willy Loman, ähnlich wie Ben, Bezugs- und Identifikationsfiguren einer vergangenen Zeit, an denen er sein Denken ebenso positiv wie illusionär ausrichtet. Den Alten werden Menschlichkeit und die guten Tugenden zugesprochen, auf die sich Willy Loman gern bezieht und verlassen möchte. Für Wagner jr. zählen sie nicht mehr. Erfolg und Gewinn sind seine neuen Leitsterne. – Marginal bleiben außer Linda die übrigen im Drama auftretenden Frauen (The Woman, Miss Forsythe, Letta und Jenny), aber selbst **Linda** ist keine sehr komplexe Figur in diesem Drama, die von J. L. Roberts wie folgt charakterisiert wird:

> *"In general then, she represents the simple person who is caught in a struggle between illusion and reality and who has not the strength to support, reject, or understand either one."*[31]

Die Personen verkörpern ‚Gegenwelten', aber auch Identifikationswelten für Willy Loman

Alle Personen aber spielen im Leben Willy Lomans ihre Rollen. Er paktiert mit ihnen, fühlt sich von ihnen angenommen oder missverstanden, lebt

31 J. L. Roberts, S. 64

an ihnen und mit ihnen direkt oder indirekt seine Emotionen, seine Erinnerungen und Träume aus. Im Folgenden sollen seine Beziehungen zu den einzelnen Personen genauer betrachtet werden (**Willy – Linda; Willy – Biff; Willy – Ben**) In dieser Spiegelung lassen sich Willy Lomans Charaktereigenschaften anschaulich verdeutlichen, ebenso die der zentralen Bezugspersonen. Für die Entwicklung der menschlichen Tragödie ist das Verhältnis Willy Lomans zu seiner Frau Linda, zu seinem Sohn Biff und zu seinem Bruder Ben deshalb von vorrangiger Bedeutung, weil er zu ihnen einerseits die engsten, andererseits die am meisten gespaltenen Beziehungen hat. Im Folgenden gehe ich auf drei Szenen ausführlicher ein, in denen diese (problematischen) Beziehungen virulent sind: auf Lindas Verhalten nach Willys Tod (Requiem), auf Biffs Gespräch mit seinem Vater vor dessen Selbstmord (137, 21 ff.) und auf Bens ersten Auftritt (47, 1 ff.), der die Endphase der Selbsttäuschungen Willy Lomans einleitet.

Willy – Linda

Wie unklar gehen die beiden Ehepartner doch miteinander um! Linda gibt sich alle Mühe, ihre beständig erfahrene Frustration zu überspielen und nicht auf Kosten der Familie auszuleben, während ihr Mann ihr gemeinsames Leben häufig genug und oftmals überflüssigerweise mit Füßen tritt. Beide spüren es, doch sie sprechen nicht darüber. Überhaupt werden die wesentlichen Dinge von den Lomans totgeschwiegen oder heruntergespielt (das Versagen der Kinder, die Schulden, das Versagen Willys, der Bostoner Ehe- und Treuebruch, die existenziellen Gefühle und Gedanken). Es kennzeichnet die gesamte Familiensituation, dass man, sofern man überhaupt offen miteinander redet, sich nicht miteinander verständigen kann. Zu vieles wird ‚glatt'- und schöngeredet.

Linda spielt in diesem schwierigen und hochbelasteten Familien-Viereck eine sehr unglückliche Rolle. Man muss bewundern, wie sie die Alltagsprobleme oft genug tapfer wegsteckt. Sie ist eine „toughe" Person, zweifelsohne, die alles für die Familie tut und ihren Mann bedingungslos liebt. Für ihn, dessen Lebensüberdruss ihr nicht verborgen bleibt, legt sie sich sogar mit den beiden erwachsenen Söhnen an. (59, 12 ff.) Ihre Duldungsbereitschaft und ihr nie sinkender Mut, mit denen sie den Alltag für alle im Hause erträglich macht, ihr besänftigendes und nach allen Seiten ausgleichendes Wesen erheben sie zu einer Art „eternal wife figure"[32]. Doch ihre Schwachpunkte werden mindestens ebenso deutlich. Im guten Sinne naiv, fehlt es ihr zuallererst an Fantasie und Aufbruchsgeist, die nötig wären, um die Träume ihres Mannes mit zu leben und mit zu gestalten. Sie ist immer seine Fantasie-, sogar seine Erfolgsbremse gewesen. In früheren Jahren hat sie ihren Mann davon abgehalten, nach Alaska zu gehen. Da sie sich auch mit bescheidenen Verhältnissen gut abfinden kann, hat sie auch später kein gar Bedürfnis entwickelt, aus ihnen auszubrechen. Ein schwerwiegender Fehler ist ihr zu jeder Zeit bereitwilliges Eingehen auf die Wolkenkuckucksheime ihres Mannes. Sie ist dazu auch noch in jenen Augenblicken bereit, als ein hartes und klares Einschreiten, ein aufrüttelndes Widerwort angezeigt wäre. Immer wieder betont sie, dass er sich im richtigen Fahrwasser befinde und dass andere die Schuld an den unglücklichen Verhältnissen trügen, nur nicht er selbst. Ob es sich um Erklärungen für den Abbruch seiner Dienstfahrten handelt (8, 19 f.; 9, 1 f.), ob sie seine wiederkehrenden Unmutsgefühle wegen der Wohngegend mit einem Allgemeinplatz ‚entschärft' (14, 10), ob sie ihr Budget positiv entgegen

Linda – Bild des „ewigen Weibes"

32 J. L. Roberts, S. 63

allen harten Fakten hochrechnet (37, 18), ob sie ihren Mann als erfolgreichen Reisenden in den Spuren eines Dave Singleman gegen ihre Söhne verteidigt ("You're not going near him!" - 132, 18) - um nur einige Beispiele anzuführen: Stets findet Linda gut gemeinte, aber kontraproduktiv wirkende Entschuldigungen, die ihren Mann geradezu ermuntern, weiterhin die Augen vor der Wirklichkeit zu verschließen. Überspielt sie auch den eigentlichen Grund der gespannten Vater-Sohn-Beziehung (Bostoner Hotel-Affaire), den sie ahnen mag, aber nicht wahrhaben will?
Lindas Auftreten im Requiem fügt sich in dieses (hier nur angedeutete) Verhaltensschema ein. Sie kann nicht verstehen, warum sich niemand an Willy erinnert und sich an seinem Grab einfindet: „Why didn't anybody come?" (148, 12) Noch weniger kann sie das Geschehene nachvollziehen. Ihr wiederholendes „I can't understand it" (148, 18; 23) drückt aus, wie groß jetzt und zuvor der Abstand ihrer Denkwelt zu der ihres Mannes gewesen ist. Für Linda steht einzig im Vordergrund, dass sie endlich schuldenfrei ist; die materiellen Dinge sind geregelt. Dafür hat sie gelitten und mit ihren Möglichkeiten gekämpft. Für Selbstmord gab es aus ihrer Sicht keinen Grund. Charley versteht die wahren Beweggründe Willy Lomans, und auch Biff scheint ihm bewusstseinsmäßig näher gekommen zu sein. Um ein wenig abzulenken, erwähnt er die besondere handwerkliche Begabung seines Vaters (149, 1), überall im Haus sind Spuren seines Geschicks. Linda bestätigt dies (149,7), in Gedanken immer noch mit der Frage nach dem „Warum" beschäftigt. Als sich die kleine Trauergemeinschaft zum Gehen wendet, bleibt sie noch für einen kurzen Augenblick allein an der Grabstelle. „Why did you do it?" (150, 23) So erschütternd Lindas Zurückgeworfensein auf ihr naives Selbst in dieser Schlussszene des Dramas auch wirken mag, es

verringert nicht ihren Anteil an der Verantwortung und Schuld, die sie am Tode ihres Mannes trägt.

Willy – Biff

In dem angespannten, von Irrtümern und beiderseitigen Fehleinschätzungen belasteten Vater-Sohn-Verhältnis liegt ein zentrales Motiv für Willy Lomans Selbstaufgabe und schließlich für seinen Freitod. Zwei Momente sind zu nennen, die ihn selbst in den Untergang und Biff zum Scheitern gebracht haben: Willy Loman hat versäumt, ihn zu den Werten zu erziehen, für deren Erreichen und Verinnerlichen Biff wirklich hätte kämpfen müssen; er hat seinen Sohn in der Stunde, als dieser ihn am nötigsten hatte, allein gelassen.
Kaum noch etwas von dem einstigen Footballstar ist an dem Mittdreißiger zu erkennen, den wir zusammen mit seinem Bruder Happy im Haus der Eltern antreffen. Er wirkt niedergeschlagen und genervt. Es betrübt ihn, dass seine Mutter älter geworden ist und verhärmt aussieht. Entbehrungen und Sorgen haben bei ihr deutliche Spuren hinterlassen. Noch mehr belastet ihn, dass er keinen Zugang mehr zu seinem Vater findet, den er nach wie vor liebt, aber keineswegs mehr so vergöttert wie einst. Nach dem schulischen Debakel ist es Biff außerhalb der Reichweite seines Vaters nicht schlecht ergangen, ja, die Ranch-Arbeit hat ihm sogar gefallen. Mit den Jahren hat er sich Rechenschaft über seine wenig erfolgreiche Schulzeit abgelegt und sich mit den Gegebenheiten seines Lebens immer wieder zu arrangieren verstanden. Allein der geringe Lohn, den er kassiert, deprimiert ihn, denn darin erkennt er den wirklichen Abstand zu den Erwartungen seines Vaters, die er immer noch erfüllen zu müssen glaubt. Er hat sich auch Unredlichkeiten geleistet, ist nun aber bereit für einen Neuanfang, für den er die Unterstützung seines Vaters,

d. h. die bereinigende Aussprache und dauerhafte Versöhnung mit ihm braucht. Im Restaurant ist es Biff nicht gelungen, seinem Vater den geplatzten Termin bei Oliver zu erklären (⇒ **2.2**). Wieder zu Hause, sucht er das entscheidende Gespräch mit Willy, von dem er sich gleichzeitig und endgültig verabschieden will (137, 21 – 144, 10):
Willy Loman ist in seinem kleinen Garten beschäftigt und will sich von Biff, den er kaum wahrnimmt, nicht stören lassen. Überrascht blickt er erst auf, als sein Sohn ihm sagt, dass er nicht bei Oliver war. Biff möchte das, was ihn beschäftigt, auch Linda mitteilen, und bittet seinen Vater, mit ihm ins Haus zu gehen. Willy wehrt zunächst schroff ab, geht dann aber von selbst. Biff macht einen erneuten Versuch, die Ungereimtheiten der Vergangenheit zu vergessen und bietet seinem Vater die Hand. Willy schlägt die Geste aus. Er ist noch nicht fertig mit dem Gedanken, dass es bei Oliver nicht geklappt hat. Biff sagt seinem Vater ins Gesicht, dass er ihn wohl nie begreifen werde. Alles Reden sei zwecklos. (139, 21) Linda schaltet sich vermittelnd ein – vergebens. Biffs Ton wird um eine Spur schärfer: „I was hoping not to go this way" (139, 25), um nichts weniger der seines Vaters, der mit einem brüsken „Good-by" kontert. Biff wendet sich zum Gehen. Außer sich vor Erregung, verflucht Willy Loman das Handeln seines Sohnes: „May you rot in hell if you leave this house!" (139, 30) – Happy erscheint. Als Willy seinem Ältesten weiter schwerste Vorwürfe macht, macht dieser nun wirklich reinen Tisch. Er zeigt Willy den Gasschlauch, den er aus dem Keller entfernt hat (– Willy will ihn nie gesehen haben –), deckt dann schonungslos auf, dass er wegen Diebstahls einige Monate im Gefängnis gesessen hat (141, 24 f.) und schleudert seinem Vater schließlich entgegen, wo die Gründe für sein verpfuschtes Leben zu suchen sind:"...you blew me so full of hot air..." (142, 2 ff.)

Skizze
„Personenbeziehungen“ aus der Sicht Willy Lomans

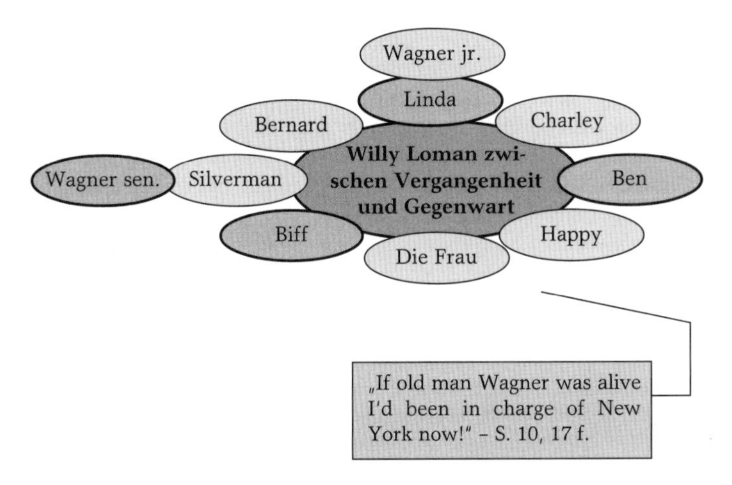

Willy Loman hat dem nichts entgegenzuhalten außer der rüde-hilflosen Floskel „Then hang yourself“ (142, 9). Damit kann er Biff nicht aus der Fassung bringen. Er muss sich von ihm die ganze Wahrheit anhören, eben jene, die bei den Lomans bisher nie ausgesprochen wurde und an der er sich selbst nie orientiert hat: „...I know who I am...“ (142, 21 f.) Willy Loman versteht nicht, was Biff ihm mitteilen will. Und auch auf die Aussage, dass sie beide nicht mehr als Durchschnitt (Dutzendware) seien, keine herausragenden Persönlichkeiten einerlei auf welchem Gebiet, weiß Willy nicht mehr zu sagen als: „I am not a dime a dozen! I am Willy Loman, and you are Biff Loman! (143, 1 f.). – Biff überhört diesen völlig an der

Biffs beinahe geglückte Annäherung an seinen Vater

Situation vorbeizielenden Einwand und geht in seiner schonungslosen (Selbst-)Offenbarung noch einen Schritt weiter: „Pop, I'm nothing! I'm nothing, Pop. Can't you understand that?" (143, 16 f.). Dann bricht er weinend an der Schulter seines Vaters in sich zusammen, fängt sich aber rasch wieder, um nach oben zu gehen, den Aufbruch bis zum nächsten Morgen verschiebend. Fassungslos stammelt Willy: „He cried – cried to me." (144, 7) Doch er verfällt sofort wieder seinem fantastisch-übersteigerten Wunschdenken: „That boy – that boy is going to be magnificent!" (144, 9 f.) –
Diese äußerst emotionsgeladene Szene, zutreffend als „confrontation scene" bezeichnet,[33] zeigt den Vater-Sohn-Konflikt auf seinem Höhepunkt. Sie deutet die nunmehr unvermeidbare Katastrophe voraus. Biff offenbart und verausgabt sich erfolglos bis zum Äußersten. In dem Maße, wie er sich öffnet, macht Willy Loman ‚dicht'.

> *„So sehr er auch zuinnerst die Wahrheit spürt und sie durch krampfhaft aufrecht erhaltene Wunschvorstellungen verdeckt, so wenig ist er andererseits imstande, sie sich in ihrer ganzen Konsequenz zu vergegenwärtigen."*[34]

Willy Lomans ganze Tragik erweist sich daran, dass er noch in diesem Augenblick an seinen Leitbildern festhält, an der Illusion der ‚Loman-Größe', mit der er – auf seine Weise nun mit sich im Reinen – aus dem Leben zu scheiden bereit ist.

---

33 J. Th. Nourse, S. 112
34 R. Lübbren, S. 52

Willy – Ben

„Lomans Tragik liegt darin, dass er nicht begreift, was ihm widerfährt."[35] Das beweist er in zahlreichen Situationen. In der ersten Begegnungsszene mit Ben kommt dieser fehlende Klarblick existenziell bereits bedrohlich verschärft zum Ausdruck.

Zunächst erleben wir Willy im Gespräch mit seinem Sohn Happy (43, 1 ff.) Vater Loman wirft sich vor, dass er einst die Gelegenheit nicht genutzt, hat mit Ben nach Alaska zu gehen und dort ein Vermögen zu machen. Als Happy großspurig äußert, ihm seinen Lebensabend zu finanzieren, wird Willy laut. Nachbar Charley kommt hinzu; der heftig gewordene Disput hat ihn beunruhigt. Charley ermuntert Willy zu einer Partie Karten (45, 1), um ihn abzulenken. Wie nebenbei, aber doch ernst gemeint, bietet er seinem Nachbarn, dessen schwierige Lebenssituation er kennt, einen Job an. Willy lehnt brüsk ab und wirft ihm einige Grobheiten an den Kopf, unter anderen die, dass er von verschiedenen Dingen des wirklichen Lebens keine Ahnung habe: „A man who can't handle tools is not a man. You're disgusting." (46, 24 f.)[36] Charley versucht ruhig zu bleiben. Hier nun sieht Willy seinen Bruder Ben vor sich, und es entspinnt sich ein verworren erscheinendes Gespräch, in dem Willy sowohl mit Charley als auch mit Ben redet. Charley wird dadurch vollkommen irritiert, und als Willy ihn ein weiteres Mal beleidigt, verlässt er resigniert die Szene. (49, 15). – Das Geschehen wechselt nun komplett in die

35 R. Lübbren, S. 56

36 An anderer Stelle wurde bereits erwähnt, dass Miller im Umgang mit Holz sehr geschickt war (⇒ 1.2). Er selbst betrachtete sein Hobby, das er zuweilen sehr intensiv lebte, als eine absolut stimmige Ergänzung zu seiner Arbeit als Dramatiker. – Willy Loman möchte seinem im Leben erfolgreichen Nachbarn zeigen, dass auch er, der erfolglose Handlungsreisende, Fertigkeiten nachgewiesen hat, in denen er ihm überlegen ist. Nur mit dieser Selbstaufwertung, die er gerade gegenüber Charley nicht nötig hat, kann er in diesem Augenblick vor sich selbst bestehen.

Vergangenheit, und wir erleben (in der Erinnerung Willys) den ersten Besuch Bens bei den Lomans nach einigen Jahren Abwesenheit. Linda begrüßt überrascht den Gast, der die ihm gestellten Fragen nach seinem eigenen und ihres Vaters Schicksal knapp und ohne langes Nachdenken beantwortet, so dass Willy voller Bewunderung ausruft: „What a memory, Ben!" (50, 7) In seiner Begeisterung über das, was Ben erzählt, ruft Willy seine beiden Jungen. Wieder und wieder fordert Willy ihn auf, auch Biff und Happy von seinen Abenteuern zu erzählen. Er erzählt aber auch, welch ein großartiger Mann Großvater Loman gewesen ist, „a very wild-hearted man", dazu ein großer Erfinder und erfolgreicher Reisender, der überall im Lande beliebt war. (50, 16 ff.) Willy greift eines der Wörter auf („well-liked"), um eilig zu versichern, dass er seine Jungen in diesem Geiste erziehe. Erfolgreich düpiert Ben bei einer gespielten Boxeinlage Biff und gibt dem Unterlegenen einen Tipp fürs Leben: „Never fight fair with a stranger, boy. You'll never get out of the jungle that way." (52, 18 f.) – Endlich, fast schon im Weggehen, erkundigt sich Ben nach Willys beruflichem Tun. Um nicht unbedeutend zu erscheinen, schneidet dieser mächtig auf (53, 5 ff.) und will Biff und Happy zum Beweis ihres nie langweiligen Lebens und ihrer Lebenstauglichkeit auf ein benachbartes Baugrundstück zum Sandstehlen schicken. Charley, der gerade reinkommt und Willys Worte hört, warnt davor, sich und die Jungen in Schwierigkeiten zu bringen. Doch Willy ist kaum zu stoppen in seinem Elan, sich vor seinem welterfahrenen Bruder zu beweisen. Er spielt auch noch den Überlegenen, als Charleys Sohn Bernard atemlos hereinstürzt und mitteilt, dass die Polizei hinter Biff her sei. (54, 10) Linda eilt nach draußen. Auch Charley verlässt (mit einer ironischen Bemerkung) das

Willys Begeisterung für seinen Bruder Ben

Haus der Lomans, er will später wiederkommen.– Willy möchte Ben, der seinen Zug noch erreichen will, ein wenig länger halten. Er bringt das Gespräch noch einmal auf seine Jungen und erhält von seinem Bruder (die nicht ehrlich gemeinte) Bestätigung für die Art, in der er sie erzieht: „William, you're being first-rate with your boys. Outstanding, manly chaps." (55, 9 f.) Mit einer großen Geste und markigen Sätzen verabschiedet sich Ben. Willy bleibt mit Hochgefühlen zurück: „That's just the spirit I want to imbue them with! To walk into the jungle!" (55, 20 f.) – Das Geschehen wechselt nun wieder in die Gegenwart über. Linda betritt die Küche. Willy ist aus dem Erinnerungsgespräch aber noch gar nicht richtig aufgetaucht.

Diese sehr eindrucksvolle Szene gliedert sich in drei Abschnitte mit kaum merklichen Übergängen von der Gegenwart in die Erinnerungswelt Willy Lomans und von dort zurück in die Realität.

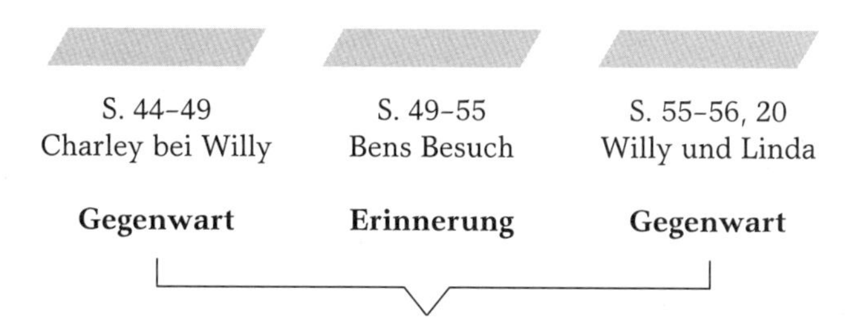

Im ersten Abschnitt verschiebt sich die Handlung aus einer sehr konkreten Begebenheit (Willy und Sohn Happy) mit dem Auftauchen Charleys kaum merklich in die Vergangenheit.

Willys Entrüstung über Happys unsinnigen Vorschlag, (hinter dem nicht einmal eine ernst gemeinte Absicht steht), ihm mit seinem kümmerlichen Verdienst unter die Arme zu greifen sowie seine Attacken gegen Charley leiten den Übergang in die Vergangenheitshandlung ein. Ben ist die Bezugsfigur, an der Willy nun seine Misserfolge zu kompensieren sucht. Den Übergang gestaltet Miller über einige Dialoglängen hinweg (Charley – Willy und Ben), ehe er den vollständigen Schwenk in die Vergangenheitshandlung mit Charleys Abtreten vollzieht. Die Dialoge im Übergang erscheinen unklar. Sie folgen jedoch der Logik Willys in seinem fiktiven Dialog mit Ben, aus dem Charley zunehmend hinausgedrängt wird. – In das diesen Abschnitt beherrschende Erinnerungsgespräch zwischen Willy und Ben treten Linda, die Jungen und Charley mit ein. Linda und Charley (auch Bernard) vertreten dabei mit ihren vergeblichen Interventionen sachlich-korrekte Maßstabe des Handelns. Ihnen steht Willy Lomans kindisches Handeln in krasser Weise deutlich gegenüber. Mit gespielter Stärke und gänzlich verfehltem Mutbeweis sucht er seine Söhne und vor allem Ben zu beeindrucken und dessen Anerkennung zu gewinnen. – Von diesem zum dritten Abschnitt sehen wir erneut einen allmählichen Übergang mit einem sehr ähnlichen Aneinander-vorbei-Sprechen (Linda – Willy) wie zuvor im ersten Übergangsdialog zwischen Willy und Charley. Während Linda ihrem Mann sanft die Tatsachen vor Augen führt, steigert dieser das Gespräch mit Ben in seinem Wert für sich zu einem Schlüsselgespräch: „What a man! There was a man worth talking to. I was right!" (56, 19 f.) Willy Loman hat sich in diesem Augenblick den Bezug zur Wirklichkeit vollends verloren. – Die Gegensätze der beiden Brüder werden in dieser Szene durch

kunstvolles Ineinander von Gegenwarts- und Vergangenheitshandlung

ihr Erscheinungsbild und Körperhaltung, durch ihre Sprache und durch ihren Standort auf der Bühne herausgestellt. Willy wirkt angespannt und nervös, seine Stimmung ist schwankend; sprachlich bewegt er sich zwischen Unsicherheit und übertriebenem Selbstbewusstsein. Er hängt an Bens Worten, verstärkt sie durch wiederholte Hinweise auf ihre Bedeutung. (50, 27–30; 51, 8–12) und möchte mit seinen Aussagen einholen, wenn nicht gar übertreffen. Ben wird als „a stolid man" eingeführt (47, 1), als ein kräftiger Sechziger, dem man Welterfahrenheit und unbeirrbare Zielstrebigkeit ansieht. Ben ist witzig, beweglich, charmant gegenüber Linda und bündig in seinen Aussagen. Seine Selbstsicherheit verlässt ihn keinen Augenblick. Er scheint nur durch Willy etwas genervt, so dass er den räumlichen Abstand sucht. (55, 6) Dieser Standort Bens unterstreicht auch ohne Worte, dass Welten zwischen den Brüdern liegen. – Es ist müßig darüber zu streiten, ob Ben als ‚reale' Figur oder nur als eine Wunschprojektion Willy Lomans zu deuten ist. Ausgehend vom ursprünglichen Titel (*The Inside of His Head*) ist letzteres wahrscheinlich: „Ben is a shadowy figure who functions more as a symbol than he does as a character".[37] Aber man kann ihn auch als den nehmen, den er verkörpert, nämlich den verwegenen Pionier, der der angepasste Willy Loman zuweilen gern sein möchte.[38]
Bühnenbild und Musik, auf die ich weiter unten eingehe (⇒ **2.6**), unterstützen diese zwischen Gegenwart und Erinnerung spielende Szene sehr wirkungsvoll.

---

37 J. L. Roberts, S. 68
38 J. Th. Nourse, S. 57

Für den weiteren Verlauf der Tragödie stellt diese Szene ein wichtiges Gelenkstück dar, eine Art Brückenkopf zur Katastrophe. Willys Schritte hinaus, noch ganz unter dem Eindruck der Begegnung mit seinem Bruder, zeigen seinen Weg ins Dunkle an, der beim Rest der Familie viele Fragen und große Beunruhigung auslöst. Der Zuschauer ahnt, dass Willy hier mit sich zu Rate geht und einsame Entschlüsse fasst. Als Willy nur wenig später mit der harten Wirklichkeit konfrontiert wird (Kündigung – 89, 11), wird ihm Ben zur einzigen Anlaufstation, zur einzigen Person, die ihm Antworten auf die vielen Fragen gibt. (90, 19 ff.) Mit den Antworten wird er aber auch zum großen ‚Verführer' seines Bruders („There's a continent at your doorstep, William." – 93, 3). Für Willy Lomans zunehmend tieferes Versinken in zurechtgeträumten Wirklichkeiten ist die nahe liegende Erklärung wiederholt gegeben worden: „Die Lebenslüge ist für ihn existenzielle Notwendigkeit: der illusionslose Blick auf die Wirklichkeit wäre für ihn die Konfrontation mit dem Nichts."[39] Sein Bruder Ben braucht sich seine Existenzberechtigung nicht zu erdichten. Er hat sie und damit sich selbst durch Anhäufung materiellen Besitzes erfüllt. „Diamonds" – sie werden zum Sinnträger dessen, was auch Willy Loman vom Leben erhofft, aber nicht bekommen hat. Als die letzten Aussichten für Willy Loman dahingehen, jemals auch nur einen Zipfel des Erwünschten zu besitzen, spielt er seinen letzten Trumpf aus: die Lebensversicherung, die nur durch seinen Tod frei wird. Auch für diesen Schritt, dessen Wagnis er lange überdenkt, benötigt er die brüderliche Hilfe und den brüderlichen Rat. Ben malt ihm die Schönheiten des Paradieses in der Welt der Finsternis aus, die Willy zu betreten bereit ist, und verheißt ihm endlich die er-

der falsche Traum, die falschen Stimmen

39 R. Lübbren, S. 54

träumte Erfüllung seines Lebens: „It's dark there, but full of diamonds." (145, 26 f.) Es ist auch Ben, der ihm das Zeichen zum endgültigen Abtreten gibt: „Time, William, time!" (146, 8) Die Gewissenlosigkeit, mit der Ben seinen Bruder in seiner letzten Entscheidung bestätigt, evoziert geradezu die Frage nach der Absicht des Autors. Als Person hätte ein „Abenteurer, Egoist und Kämpfer wie Ben sein eigenes Leben niemals dem materiellen Wohlergehen seiner Familie geopfert."[40] Mit dieser Einschätzung geht der Leser wohl ebenso konform wie auch mit der Ansicht, dass Ben nur „diejenige Seite in Willys Psyche (ist), der gegenüber Willy den Selbstmord rechtfertigen will."[41] Willy Loman, ein amerikanischer Jedermann, hat sich den falschen Werten verschrieben, hat den falschen Traum geträumt und ist den falschen Stimmen gefolgt. Alles deutet darauf hin, dass Arthur Miller hier seine Kapitalismus-Kritik, mit der er sich jahrelang dem Verdacht aussetzte, ein Kommunistenfreund und damit ein ‚schlechter Amerikaner' zu sein (⇒ **1.2**), unüberhörbar zum Ausdruck gebracht hat.

40 A. Einberger, S. 49
41 A. Einberger, S. 49

2.5 Sachliche und sprachliche Erläuterungen

Adonis (S. 34):	griechische Sagengestalt; populär: schöner Mann
Albany (S. 28):	Hauptstadt des Staates New York am Hudson River gelegen
Alaska (S. 43):	Willy Lomans Traumland, in dem er sein Glück hätte machen können (illusionärer Bezug)
Aspirin (S. 9):	bekanntes Medikament;schmerzstillende und allgemein belebende Wirkung
Boston (S. 31):	Hauptstadt des Staates Massachusetts im Nordosten der USA; als „Wiege der amerikanischen Revolution" geschichtlich berühmt geworden durch die „Boston Tea Party" vom 16. Dezember 1773
Chevvy (Chevrolet) (S. 15):	bekannte amerikanische Automarke
Edison, Thomas Alva (1847–1931) (S. 15):	amerikanischer Erfinder
Goodrich, Benjamin Franklin (1841–1888) (S. 15):	amerikanischer Industrieller

Grange, Harold (S. 95):	amerikanischer Footballstar vor den Jahren der „Great Depression" (1929)
Great Depression/Große Depression (S. 8 in dieser Erläuterungen):	Zusammenbruch der New Yorker Börse und Beginn einer extremen wirtschaftlichen Notlage in den USA. Kein wirtschaftlicher Sektor blieb verschont; über 5000 Banken mussten schließen; Präsident Hoover konnte dem Zusammenbruch nicht entgegenwirken und wurde 1932 von Franklin D. Roosevelt abgelöst. Sein Programm, „New Deal" (1933), konnte die erhofften Besserungen nicht erbringen; dennoch blieb er weiterhin im Amt; aber erst 1939, mit Beginn des Zweiten Weltkriegs, konnte die Zeit der Entbehrungen überwunden werden. (⇒ **4.**)
Hartford (S. 37):	Hauptstadt des Staates Connecticut am Connecticut River; Zentrum des Tabakwaren-Handels
Harvard (S. 61 in dieser Erläuterung):	eine der berühmtesten Universitäten der Welt (Cambridge/Boston); 1636 als Predigerseminar gegründet; bereits ein Jahr zuvor hatte in Boston unter Leitung der

	Puritaner eine Schule ihren Unterrichtsbetrieb aufgenommen. (⇒ Puritaner)
Hercules (S. 74):	griechischer Sagenheld mit übermenschlichen Kräften (Herkules)
Ketchikan (S. 51):	Stadt in Alaska
Long Island (S. 21):	lang gestreckte Insel an der Ostküste der USA; gehört zum Staat New York; an ihrem Westende liegen Brooklyn und Long Island City.
Morgan, John P. (1837–1913) (S. 104):	amerikanische Geldlegende wie A. Carnegie, J. D. Rockefeller oder C. Vanderbilt
New Deal (S. 8 in dieser Erläuterung):	von Präsident Franklin D. Roosevelt (1882–1945) initiierte und durchgesetzte Programme, mit denen ab 1933, ein Jahr nach seiner Amtsübernahme, die am Boden liegende Wirtschafts- und Sozialpolitik der USA wieder aufgerichtet wurde.
Portland (S. 10):	Hafenstadt im Süden des Staates Maine (Nordosten der USA)
Punchingball (S. 29):	Übungsgerät für Boxer

Puritanismus (S. 23 in dieser Erläuterung):	eine protestantische Glaubensbewegung des 16. Jahrhunderts in England, die der reinen Lehre Calvins anhingen; die ersten Puritaner verließen im Jahre 1629 unter dem Druck der anglikanischen Kirche, ausgeübt von Charles I. und dem Bischof von Canterbury, ihre Heimat und wurden ins Massachusetts sesshaft; die Migrationsbewegung der Puritaner erfasste in den darauffolgenden Jahren etwa 20000 Menschen, die zwischen 1630 und 1642 in Nordamerika (Massachusetts Bay) ihre neue Heimat fanden.
Ranch (S. 22):	größeres ländliches Anwesen in den USA mit Viehzuchtbetrieb
Requiem (S. 148):	Totenmesse
Smith, Al (S. 87):	Präsidentschaftskandidat der Demokraten (1928)
Studebaker (S. 8):	amerikanischer Straßenkreuzer, eine der legendären Automarken
Tunney, Gene (S. 29):	amerikanische Boxlegende vor den Jahren der „Great Depression" (1929)

University of Virginia (S. 33): ebenfalls eine berühmte Hochschule in den USA; wer dort studieren darf, gilt als „gemacht".

Waterbury (S. 31): (ehemaliges) Zentrum der amerikanischen Messingindustrie

West Point (S. 110): berühmte Militärakademie im Staat New York

Yonkers (S. 8): Vorstadt von New York

2.6 Stil und Sprache

Death of a Salesman zählt auch wegen seiner sprach- und bühnenästhetischen Besonderheiten zu den eindrucksvollsten Beispielen des modernen amerikanischen Theaters. Es gab durchaus abwertende Kritiken[42], aber sie waren (und sind) den sachlich-positiven Einschätzungen gegenüber deutlich in der Minderzahl. Die Qualität der dichterischen Sprache dieses Dramas wird gewöhnlich an folgenden Momenten festgemacht: Es ist Arthur Miller gelungen, das Alltags-Amerikanisch zum kennzeichnenden Merkmal der Dialoge zu machen, ohne dass diese platt, abgegriffen oder gar niveaulos wären; er hat es verstanden, die gegensätzlichen Denkwelten Willy Lomans zwischen dem Gestern und Heute sprachlich zu differenzieren und zu nuancieren; A. Miller hat in *Death of a Salesman* die amerikanische Bühnensprache insgesamt um

42 So bezeichnete Joseph A. Hynes (1962) die Sprache des Stück als „highly emotional", und Harold Bloom (1988), so etwas wie ein Literatur-Papst, gab die folgende Einschätzung ab: „Miller is by no means a bad writer... he is scarcely an eloquent master of language." – Zitiert nach M. C. Roudané, *Death of a Salesman*, S. 75

ein Drama mit unverwechselbarer Bühnensprache

zahlreiche Effekte bereichert und schließlich den Theaterbesuchern durch die Plastizität der Willy-Loman-Welt einen ganz realen Identifikationsfokus geschaffen. Diese vier Momente werden nunmehr mit Beispielen konkretisiert, wobei die Fülle der spezifischen Details vor dem Leser nicht ausgebreitet werden soll.

In starkem Maße bestimmend für die Akzeptanz eines Stückes beim Publikum sind die Dialoge. Nur durch sie teilen sich die auf der Bühne agierenden Personen mit, nur durch ihre Sprache werden sie lebendig. In *Death of a Salesman* (– nicht anders in *A View from the Bridge, All My Sons, The Crucible* –) treten Alltagsmenschen auf, die sehr einfach und direkt sprechen. Jede Übersetzung hat es schwer, die Sprachebene des Originals annähernd genau zu treffen. Jede Figur charakterisiert sich dabei durch bestimmte Spracheigentümlichkeiten. Dies wurde im vorhergehenden Kapitel für die Sprechweise Willy Lomans bereits exemplarisch aufgezeigt. Drei weitere Beispielen seien ergänzt: Biffs Sätze ‚bleiben auf der Strecke', d. h. sie sind selten komplett oder gar elaboriert. Man kann sie in der Tat als „Halbsätze" bezeichnen.[43] Dieses Fragmentierte bezeichnet weniger seine mangelnde Bildung als das Unfertige seiner Persönlichkeit. Erst zum Ende des 2. Aktes wird seine Sprache geschlossener und profilierter. So ist Bens Sprache von ‚Eile' geprägt. Er stellt kurze Fragen und macht in zumeist sehr kurzen ‚statements' zentrale Punkte seines Erfolgs fest oder formuliert pointierte ‚Überlebensweisheiten'. So neigt Linda zu ausführlichen Monologen. Wo sie sich einmischt, will sie ausgleichen, sprachlich-atmosphärisch eine ‚heile Welt' herstellen. Ihr gemäßigter Ton steht dabei im Gegensatz zu der harten, oft aggressiven Diktion der Männer.[44]

43 A. Einberger, S. 30
44 M. C. Roudané, S. 75 f.

Auch Willy Lomans Leben in zwei Welten wird von Miller durch unterschiedliche Sprachhaltungen und Sprachstimmungen ausgedrückt. Loman ist überschwänglich und seine Ausdrucksweise fast fröhlich-beschwingt, wenn er sich in die Vergangenheit zurückversetzt. Demgegenüber wirkt er lakonisch, unsicher und gelegentlich unbeherrscht, wenn er sich in der Gegenwart der Handlung befindet. Hier kennzeichnet seine harte und ernste Sprache die fatale Lebenssituation, in der er sich befindet. Seinem Wesen und Charakter entsprechend hat er nicht die Möglichkeit, seinen Alltag in selbstironischer Distanzierung von der Vergangenheit zu bewältigen. In vielen Szenen des Dramas drücken deshalb Gebärden und Wörter Willy Lomans auch die langsame Bewegung seines „Fallens" aus,[45] etwa die auffällig häufigen Äußerungen körperlicher und geistiger Ermüdung, sein erschöpftes Sich-in-den Sessel-fallen-Lassen, sein Schlafbedürfnis. Zu erwähnen ist in diesem Zusammenhang Millers bewusste Steuerung des Kontrastes zwischen Aufbruch und Neubeginn, die Willy Loman immer wieder vorgibt, ohne die Kraft dazu zu haben, und den von seiner Familie an ihn gerichteten Erwartungen. Dabei kreuzen sich wiederholt die Linien seines Absturzes und die der (vergeblichen) Appelle an ihn. –
In *Death of a Salesman* hat Miller, auch abseits der Sprache seiner Figuren, eine sehr eigene und komplexe Bühnensprache entwickelt. Durch sie trennt er sich am deutlichsten von den Traditionslinien des europäischen und des amerikanischen Theaters, das O'Neill bis weit in das 20. Jahrhundert hinein beherrschte.[46] Zu nennen sind die

45 M. C. Roudané, S. 66

46 Eugene O'Neill, als ein „Dichter und Menschengestalter" bezeichnet, „der unter dem Chaos des Lebens litt und von dessen Pioniertaten das amerikanische Theater nach wie vor zehrt" (K. Kathrein, S. 348), steht mit einzelnen seiner zahlreichen Stücke, so *Desire under Elms* (1924), *Mourning Becomes Electra* (1931) oder *The Iceman Cometh* (1946), unverrückbar fest auf den Theaterspielplänen der Welt.

„auffallende Verwendung von Symbolen, die Effekte der Licht- und Musikregie, die komplexe Überlagerung verschiedener Zeitebenen, der Perspektivenwechsel zwischen realistischer Gegenwartshandlung und imaginären Vergangenheitsereignissen sowie das ebenso einfache wie multifunktionale Bühnenbild."[47]

Diese formalen Besonderheiten wurden weiter oben bereits angesprochen und in Ansätzen erläutert. Ich richte deshalb das Augenmerk an dieser Stelle lediglich auf die Licht- und Musikverwendung sowie auf das Bühnenbild des Dramas. Millers sehr ausführliche einführende Bühnenanweisung erschließt dem Leser ihre Absichten und Funktionen.
Eine zarte Flötenmelodie soll gleich zu Beginn des Stückes hörbar werden, „telling of grass and trees and the horizon". (S. 5) Sie bleibt im ersten Teil des Stückes ‚tonangebend', denn sie suggeriert Sehnsüchte und Träume (Willy Lomans) nach einer fernen, vergangenen Welt. Im Verlaufe der Handlung erfährt der Zuschauer ja, dass Lomans Vater Flöten hergestellt und sie im Lande umherreisend verkauft hatte. Sie stellt damit für Willy Loman auch einen dinglichen Bezug zu seiner eigenen Familiengeschichte her. Die Flöte begleitet unaufdringlich auch markante Situationsveränderungen und den Wechsel der Zeitebenen (S. 27) während des gesamten 1. Akts. Bestimmte musikalische Motive charakterisieren einzelne Personen (z. B. „Ben's music" – S. 47, 8; 90, 15; 144, 20 oder „Boys music" – S. 93, 7; 137, 8) – Schlagartig wechselt die Musik mit dem Beginn des 2. Akts: „Music is heard, gay and bright." (S. 75, 1). Sie begleitet jenen hoffnungsvollen Aufbruch Willy Lomans und den seines Sohnes Biff, der mit einer doppelten Niederlage endet. Das Drama klingt mit der Flötenmusik aus, die noch einmal heftig mit der bedrohlichen Silhouette der Hochhäuser kontrastiert: „Only the music of the flute

47 M. Pütz, S. 169

is left on the darkening stage as over the house the hard towers of the apartment buildings rise into sharp focus." (S. 151) Noch einen Schritt weiter geht Joan Th. Nourse in ihrer Deutung der Flötenmelodie als eine in Willy Loman wachgerufene Erinnerung an das Nomadenleben der Pioniere von einst, auch heute noch ein Teil des amerikanischen Traums:

> *„The sound of the flute is thus also the call that summons Willy to a nomadic career, probably in the great West."*[48]

Sinnfälligkeit und Funktionalität von Licht- und Musikeffekten

In einer subtilen Regie kann auch der von Miller vorgesehene wiederholte Beleuchtungswechsel signalgebende Bedeutung vermitteln.[49] Zu Beginn der Tragödie liegt über dem Haus der Lomans zunächst ein „blaues Licht", von dem sich ein „angry glow of orange" (S. 5, 8 f.) abhebt. Wiederholt wird durch direktes Anleuchten die Bedeutung einer Situation oder eines Gegenstandes verdeutlicht. Eine dieser markanten Lichtwirkungen ist von Miller für die Szene in Howards Büro vorgeschrieben: „On Howard's exit, the light on his chair grows very bright and strange." (S. 88, 9 f.). Dem Zuschauer wird klar, dass Willy Loman hier die neue Wirklichkeit allmählich zu begreifen beginnt. – Das von Miller vorgegebene Bühnenbild, dessen Sinnfälligkeit und Funktionalität jeden Regisseur überzeugt, ist im Zusammenwirken mit der Musik ebenfalls ein starkes Ausdrucksmittel in diesem Stück.[50] Viele Momente seiner Vergangenheit durchlebt Willy Loman im Kopf (⇒ **2.3**), der überwiegende Teil der realen Handlung findet im bescheidenen Haus der Lomans statt, von dem die Küche und zwei Schlafzimmer in der Höhe etwas versetzt auf

48 J. Th. Nourse, S. 139
49 M. C. Roudané, S. 65
50 Der zuvor ebenfalls erwähnte Tennessee Williams bediente sich dieser Ausdrucksmittel geradezu bahnbrechend in seinem bekannten Stück *The Glass Menagerie* (siehe Fußnote 9)

der Bühne sichtbar werden. In den sich augenblicklich abspielenden Szenen kommen und gehen die Personen wie im richtigen Leben durch Türen von einem Raum in den anderen, wohingegen sie in Szenen der Rückerinnerungen und der Tagträume Willy Lomans regelrecht durch die Wände von einem Ort zum anderen gelangen. Andere Schauplätze des Dramas, etwa Howards Büro, das Restaurant oder das Bostoner Hotel, werden unaufwendig vor der Hauptbühne angedeutet. Durch Lichtsteuerung wird die Aufmerksamkeit der Zuschauer wechselweise auf die Orte des Geschehens gelenkt; der nicht bespielte Raum bleibt dunkel und ist nur konturenhaft zu erkennen. Kleinrequisiten können durch die Schauspieler selbst hinzugefügt bzw. entfernt werden. Was heute besonders durch optische Effekte des Films für den Zuschauer selbstverständlich geworden ist, war in Millers Stück sensationell neu. –

Schließlich, so wurde wiederholt deutlich gemacht, repräsentiert Willy Loman den Durchschnittsamerikaner jener Jahrzehnte zwischen den Jahren 1930–1950. Miller vermittelt dieses Bild durch die typischen Attribute, an denen er Erinnerungen, Wünsche, Tagträume und Lebensideale des Handlungsreisenden festmacht. Es sind die Dinge, die im Leben und Bewusstsein eines jeden Amerikaners einen festen Stellenwert und ihre jeweilige Bedeutung hatten: Autos, Sportidole, Persönlichkeiten der Geschichte, die Liebe zu seinem Land.[51] Es sind ferner die Dinge des Alltags, die ein Reservoir schaffen, in denen die Theaterbesucher, namentlich die amerikanischen Ende der 40er, zu Beginn der 50er Jahre, ihre individuellen Bezugsmomente hatten und aus denen sie ihre Erfahrungsanalogien – positive

eindringliche Verwendung tragender Motive und symbolgesättigte Sprache

51 *American popular culture* – M. C. Roudané, S. 75

wie negative – versammelten: der Kühlschrank, der Garten, die enge Nachbarschaft, Gerüche, Lärm, schlicht: das Leben, wie es jeder aus Millers Generation kannte. Im Theater konnte man sich zurücklehnen und den Abstand genießen, den man inzwischen vielleicht zu Lomans Welt gewonnen hatte, oder man erkannte, dass man selbst noch mittendrin, irgendwo noch selbst ein Stück Willy Loman war. Viele Besucher ließen nach der ersten Aufführung ihren Gefühlen freien Lauf:

> *„Unter den Zuschauern ereigneten sich merkwürdige Dinge. Als der Vorhang fiel, standen einige auf, zogen ihre Mäntel an und setzten sich wieder; andere, besonders Männer, saßen vorgebeugt und vergruben das Gesicht in den Händen, andere weinten unverhohlen. Zuschauer gingen quer durch das Theater, um sich mit jemandem leise zu unterhalten."*[52]

Zu der starken emotionalen Wirkung dieses Dramas trägt nicht zuletzt Millers Motivgestaltung bei, wobei einzelne Motive und Symbole in refrainartiger Wiederkehr Willy Lomans Irrtümer, Illusionen und letztlich seine Verlorenheit widerspiegeln. Sie liste ich in der Reihenfolge ihres Vorkommens im Folgenden noch einmal auf. Ich beziehe mich auf die Übersicht bei J. L. Roberts (S. 45–61).

---

52 A. Miller: *Zeitkurven*, S. 253

Motiv/Symbol	Kurz-Kommentar	Fundstelle
Flute	verbindendes Symbol für alle realen und geträumten Situationen Lomans; leitmotivische Verwendung	S. 5, 1. Akt, Zeile 1 ff.
Vital to New England	Lomans illusionärer Rückbezug auf eine Vergangenheit, die so nie gab	S. 10, I, 6
Being well liked	steht für Lomans Lebenslüge; in diesem Sinn erzieht er seine beiden Söhne	S. 12, I, 24
boxed-in	Bedrohung, Ausdruck für die geringen Entfaltungsmöglichkeiten; kaum Luft zum Atmen	S. 13, I, 19
...remarkable....	stehender Ausdruck Lomans, an dem seine Unfähigkeit abzulesen ist, sich nüchtern und wirklichkeitsbezogen mit den Alltagsproblemen auseinanderzusetzen	S. 15, I, 18
Can't get near him	Biffs Klage generalisiert das Problem, das auch andere mit Willy Loman haben: Niemand kann wirklich in seine Welt eindringen	S. 18, I, 27

Motiv/Symbol	Kurz-Kommentar	Fundstelle
stealing	Willy belächelt die Jugendsünde Biffs' als Kavaliersdelikt	S. 30, I, 1
debts	der finanzielle (Dauer-)Engpass der Lomans steht für Willys Scheitern und zeigt ihn existenziell am Abgrund	S. 37, I, 13
stockings	steht für Lindas Alltag, aus dem sie sich nicht lösen kann; sie hat nie eine Chance zur Selbstverwirklichung gehabt	S. 38, I, 4
Ben	steht für alles, was Willy nicht sein kann; stärkstes handlungsbestimmendes Einzelmotiv	S. 47, I, 27
loosing weight	Happys vergeblicher Versuch, die Aufmerksamkeit seines Vaters zu gewinnen	S. 53, I, 12
stockings	Symbol für Willys Schuld	S. 129, II, 129
seeds	Symbol für Willys vergebliche Versuche, seinem Leben Sinn und Zukunft zu geben	S. 130, II, 25

2.7 Interpretationsansätze

Die Fülle durchgängiger und sich wiederholender Themen der Tragödie lässt es angeraten erscheinen, diese zunächst stichwortartig voneinander abzugrenzen. Sie erleichtern es dem Lernenden, Schwerpunkte einzelner Interpretationsansätze, die weiter unten ausschnitthaft zitiert werden, nachzuvollziehen. Die folgende Themen-Übersicht orientiert sich an J. Th. Nourse's Szenen-Kommentaren.[53]

> Verlorenheit Willy Lomans
> Vater-Sohn-Konflikt
> veränderte Lebensumstände
> Veränderungen in der Arbeitswelt
> Sehnsucht nach besseren Zeiten
> Stadt-Land-Gegensatz
> Streben nach Anerkennung
> Wohlgefühl durch technisch-manuelle Überlegenheit
> Familienbindungen;Solidarität
> Kampf um die Bewältigung der alltäglichen Dinge
> Verherrlichung des Abenteuertums
> Korruption der Arbeitswelt

M. Pütz differenziert acht interpretationsrelevante Problemfelder, in denen sich die Komplexität von Millers Drama jedoch keineswegs erschöpft:
(1) Die Frage nach der *Gesellschaftskritik;* (2) kritische Auseinandersetzung mit der von den einzelnen Personen transportierten *Wertewelt;* (3) *Leitbilder;* (4) *Genre-Problematik;* (5) *Millers Bühnensprache;* (6) *Selbstfindung und Kommunikation;* (7) *Wirklichkeitserfassung vs. imaginäre Rückerinnerung;*

---

53 J. Th. Nourse, S. 22–110

(8) *Loman – Prototyp des modernen Jedermann oder zeittypische Erscheinung spezifisch amerikanischer Sozialentwicklungen.*[54]

In einigen Zitatausschnitten möchte ich nun das weite Spektrum der Sichtweisen wenigstens andeuten, um mich sodann dem Aspekt der „Sozial- und Zeitkritik" in *Death of a Salesman* zuzuwenden, der die Mehrzahl der Interpretationen dominiert.

***

„... Amerika ist zu groß für den Einzelnen, sagt Miller (...) Nur die Familie bietet dem Einzelnen etwas Halt; sie ist seine Zuflucht und sein Gefängnis. Aus dem mörderischen Wettbewerb und der Einsamkeit draußen flieht jeder zu seinen Angehörigen, obwohl diese ihn bald wieder entmündigen und am nächsten Ausbruch hindern wollen. Um diesen Wahnsinn der Familie geht es im Handlungsreisenden, nicht um einen Wahnsinnigen in einer ansonsten ‚normalen' Familie. Willy Loman mit seinem Traum ist vielleicht der Menschlichste von allen. Dass er tragisch endet, liegt nicht an seinem Traum, sondern daran, dass er ihn mit der Wirklichkeit verwechselt."[55]

***

„... This is a play about a man's death. From the beginning, tragedy has dealt with death. Yet most early tragedies included a great reversal of fortunes, in which a great or powerful person fell to his ruin from a a high position of wealth and authority. But at the start of the play, Willy is already broken. Further he was never an influential or famous individual. Even the loyal Linda admits that he has never been a ‚great man' or even the

54 M. Pütz, S. 166–170

55 Volker Schlöndorff, S. 118 f.

‚finest' of characters. Nevertheless she maintains that he is worthy of some attention as a human being who suffers."[56]

***

„... Death of a Salesman ist ein Stück aus der Nachfolge Ibsens und seines Kampfes gegen die Lebenslüge. Nur wurde die Technik Ibsens erweitert durch eingeschobene Rückblenden, durch Wach-Illusionen sowie durch Auflösung des realistischen Schauplatzes und der realistischen Situationen. Das Stück ist ein tragischer Aufriss des typisch amerikanischen Erfolgsoptimismus um jeden Preis. Ihm folgen die verheerende Überschätzung der eigenen Kräfte, ihre rasante Abnutzung, der Sturz in ein Wunschtraumleben und schließlich der totale menschliche Ruin."[57]

***

„Mit dem Tod des Handlungsreisenden hat Arthur Miller sich nicht nur von seinem Vorbild Ibsen gelöst und eine eigene Ausdrucksform gefunden, sondern zugleich eines der bedeutendsten Dramen unserer Zeit geschaffen (...) In keinem seiner anderen Stücke tritt so sehr wie hier das Dichterische zutage, keines weitet sich, über die moralische Fragestellung hinaus gehend, so sehr zum Gleichnis aus, zum Gleichnis für das Schicksal von Millionen von Menschen in der Gegenwart."[58]

***

56 Joan Thelluson Nourse, S. 132
57 Felix Emmel, S. 343 f.
58 Rainer Lübbren, S. 45

„... The most dominant idea running throughout the play is that a person must not be just liked but well-liked. To Willy, this idea is paramount. If a person is well-liked, then the entire world opens up for him. Willy took this idea from an old salesman named David Singleman (...) In a few rare instances, Willy seems to think that people don't like him, but as soon as he utters this view (and it is uttered only to Linda) his wife immediately reassures him of being well-liked. Thus Willy has created an illusion about himself that he can't escape."[59]

***

„... Weil Biff mit sportlichen Erfolgen glänzt, lässt Willy ihm nicht nur eine Menge durchgehen, er redet ihm auch ein, dass er sich mehr erlauben kann als andere, bis hin zum Diebstahl (...) So macht er Biff glauben, er sei etwas Besonderes, und nährt in ihm die gleiche trügerische Hoffnung, der er selbst erlegen ist, nämlich dass Kontakte und Beliebtheit wichtiger sind als Leistung. Er erzieht ihn zur Disziplinlosigkeit, indem er über seine Schwächen hinwegsieht (...) So ist es Willys Liebe zu Biff oder vielmehr das, was er dafür hält, die den Grundstein für Biffs Scheitern legt. Nicht Willys Affäre also ist für Biffs Probleme verantwortlich. Sie ist lediglich der Katalysator, der die Dinge beschleunigt."[60]

***

„... Death of a Salesman continues to engage audiences on an international level, not only because it traverses intercultural borders, but also because it brings audiences back to the edges of prehistory itself. Postmodern in texture, reifying a world in which experience is ‚always ready' for the Lomans, the play

59 James L. Roberts, S. 45 f.
60 Angela Einberger, S. 50

gains its theatrical power from ancient echoes, its Hellenic mixture of pity and fear stirring primal emotions."[61]

***

„Gegen den vorherrschenden Leistungsmaßstab gilt der Mensch ‚an sich' nichts. Diese Welt hat sich den Normen angepasst, die die Maschine diktiert. Symbol dessen: das Ditiergerät, an dem der Boss herumbastelt, während Loman vergeblich um seine Versetzung bittet. Die Maschine ist wichtiger als die Existenz eines alterndes Mannes. Was sich in Loman selbst abspielt, ist der verzweifelte Versuch, das Bewusstsein seiner persönlichen Würde zu retten. Doch auch dieser Versuch erweist sich als Illusion."[62]

***

Sozial- und Zeitkritik[63]

Man wird Millers Werk nicht gerecht, wenn man es nur als die Tragödie eines irrenden Menschen nimmt. Miller zieht aber aus dem Versagen und dem Selbstmord Willys keine politische Konsequenz. Er glaubt nicht an eine radikale politische Umgestaltung und Erneuerung der Gesellschaft, an ein durch gesellschaftspolitische Veränderungen herbeizuführendes Paradies auf Erden. Es ist überliefert, dass Miller das Stück ursprünglich *The Inside of his Head* nennen und schon im Bühnenbild die Unzulänglichkeit von Willys Lebensdeu-

61 Matthew C. Roudané, S. 63

62 Karin Kathrein, S. 367

63 Der Abschnitt ist mit starken Veränderungen an unseren Vorgänger-Band angelehnt und folgt den Kerngedanken von Paul Goetschs Interpretation der Tragödie. – Vgl. R. Poppe: *Arthur Miller, Tod des Handlungsreisenden/Hexenjagd*, S. 63–73.

tung an den in ihr selbst liegenden Widersprüchen gestalten wollte. Aber er erkannte die Gefahr einer solchen Abstraktion, die geeignet war, das Publikum zu belustigen statt zu ergreifen. So stellte er das Geschehen entscheidend in die Realität, die geeignetere Maßstäbe zur Entlarvung der falschen Träume Willy Lomans lieferte. Nur auf diesem Wege konnte er auch die zeitkritische Tendenz des Werkes sichtbar machen. Die Zeitkritik richtet sich nicht nur gegen die Anschauung, die man als den typischen „American way of life" bezeichnet. Es handelt sich um Lebensformen und Vorstellungen, die auch auf die übrigen Völker übergegriffen haben, und mit denen sich jede Nation auseinander zu setzen hat. Nach P. Goetsch kritisiert Miller in *Death of a Salesman* drei Vorstellungsbereiche: den *Pioniermythos*, den *Popularitätskult* und den *Mythos des abenteuerlichen Risikos oder den Mythos der letzten Grenze.*[64] –

Pioniermythos
Popularitätskult
Mythos der letzten Grenze: Verherrlichung des alten amerikanischen Traums

Willy Loman träumt sich in die Zeiten und in die *Rolle des Pioniers* zurück, als praktisches Tun gefragt war, um den Alltag auf eine zugleich bescheidene und zufriedene Art zu bestehen. Nach Millers Auffassung ist eine solche Pionierhaltung, die sich aus einem Erinnerungskult beständig, jedoch unergiebig reproduziert, nicht mehr zeitgemäß. Sie steht in deutlichem Widerspruch zur Realität und den in ihr herrschenden Gesetzen einer modernen Welt. Sinnbildlich wird (nach P. Goetsch) Lomans Eintreten in die trügerische Welt dieses Mythos durch die Flötenmusik angedeutet. Willys Vater hatte Flöten hergestellt und allerlei anderes nützliches Gebrauchsgut, das er auf seinen Fahrten mit dem Planwagen kreuz und quer durch das Land verkaufte. Willy Loman hängt

64 P. Goetsch, S. 113 ff.

dieser Art von Lebensbewältigung als einem Ideal nach, dem er Glück und Zufriedenheit für seinen eigenen Lebensalltag zuschreibt. Zu allem Unglück hat Willy Loman dieses Illusionsdenken und das Unvermögen, sich mit den Gegebenheiten des wirklichen Lebens zu arrangieren, an seine Kinder weitergegeben. Biff, mehr als Happy, ist wie sein Vater am Alltag gescheitert. Ernüchtert kehrt er in sein Elternhaus zurück und muss erkennen, dass sein Vater sich in seine Lebenslügen verrannt hat. –
Als äußerst fragwürdig stellt sich in Millers Augen auch der *Popularitätskult* dar, dem Willy Loman auf eine tragisch-komische Weise erlegen ist. Ein Dave Singleman, dessen einstige Popularität ihm zum Maßstab und bedauerlicherweise auch zum Trugschluss für das eigene Handeln wird, hat sich seine Anerkennung (und damit einen beachtlichen ‚Popularitätsgrad') durch harte Arbeit erworben. Lomans Maxime eines nur freundlichen und netten In-Erscheinung-Tretens kann nicht länger überzeugen, vor allem nichts bewirken, was zum Erfolg und zur Verbesserung seiner eigenen Lebenslage beiträgt. Je mehr er dies erkennen muss, desto krankhafter wird seine Flucht in Traumwelten, in denen er oder Biff noch etwas gelten.

> *„Hinter Lomans Selbstbetrug und dem Popularitätskult im Allgemeinen steht der verständliche, aber die Wirklichkeit leugnende Wunsch, an dem absoluten Wert des Individuums, einer Grundvorstellung des ‚American Dream', festzuhalten"*, schreibt P. Goetsch.[65]

Willy Lomans verhängnisvollste Illusion ist die seines Festhaltens am *Mythos der letzten Grenze.* In seiner Fantasie wird dieser von Ben verkörpert. Ben hat sich rücksichtslos und

65 S. 115

brutal in der Wildnis mit einer von Willy bewunderten Dschungelkampf-Mentalität durchgesetzt. An Ben zeigt Miller auf, dass der Mythos der letzten Grenze im amerikanischen Volk noch sehr lebendig ist. Freilich liegt in ihm die Gefahr, dass er innerhalb der Gesellschaft keine leitenden Wertmaßstäbe, sondern nur Prinzipien der Gewalt und Stärke aufstellen kann. Ben, der Willys anderes, erträumtes Ich darstellt, verleitet ihn zum Aufbruch in das letzte der unbekannten Länder, zum Aufbruch in den Tod. Damit wird die Vorstellung des „American Dream" beinahe zynisch auf eine letzte Spitze gehoben. Millers gesellschaftskritischer Ansatz ist aber keineswegs pessimistisch. Zwar zeigt er sich enttäuscht darüber, dass in Amerika nach der Great Depression der alte Menschheitstraum vom kulturellen Neubeginn, von einer neuen Freiheit und der Selbstentfaltung des Individuums, nicht verwirklicht worden war. Bei Miller lassen sich aber keine ideologischen oder politischen Richtlinien für eine bessere gesellschaftliche Ordnung ablesen. Darauf kommt es ihm auch nicht an, weil eine Wandlung der Gesellschaft stets nur möglich ist, wenn jeder Einzelne sich selbst und sein Verhältnis zu ihr wandelt. Willy Loman hat das nicht vermocht. Dennoch bleibt zu erkennen, dass Biff Loman zu einem neuen positiven (Selbst-) Verständnis vorgedrungen ist. Er kämpft die fragwürdigen Mythen nieder, an denen sein Vater hing und ein falsches Erziehungsbild festmachte. Goetsch zufolge hat Willy Loman am Ende aber seinen ältesten Sohn doch

> *„gelehrt, seine eigene Position zu erkennen, die eigenen falschen Träume zu verwerfen und dennoch seinen Vater, den Träumer, zu verstehen und zu lieben."*[66]

66 P. Goetsch, S. 117

3. Themen und Aufgaben

Die Arbeit mit der Tragödie in der Schule (- einerlei ob im Deutsch- oder Englischunterricht -) ist in den meisten Fällen dankbar und ergiebig. Dem Analysieren und Interpretieren des Textes sind problemlos zahlreiche Themen und/oder Aufgaben zuzuordnen, die in „klassischer" Weise abgearbeitet werden können. Die weiter unten angeführten **Vorschläge A** decken sich mit den für die Unterrichts- und Hausarbeit allgemein üblichen Aufgabenstellungen. Sie sind als Übungs- und Klausurthemen geeignet. - Die **Vorschläge B** setzen sich davon insoweit ab, als in ihnen sehr bewusst weniger übliche Aufgaben angeboten werden. Sie verlangen einen fächerübergreifenden Handlungsansatz und beziehen weitaus stärker Formen der Partner- und der Kleingruppenarbeit ein. Ferner heben sie auf die heute im Literaturunterricht eingeforderten kreativen/produktiven Leseleistungen ab.[67] Es ist davon auszugehen, dass eine Mischung von Aufgaben aus beiden Vorschlagsreihen den Lernenden am ehesten gerecht wird.

67 Weitere Literatur zu diesem didaktisch-methodischen Aspekt findet sich bei G. Waldmann auf den Seiten 136–143.

Vorschläge A:

Welches Bild der „amerikanischen Gesellschaft" wird in *Death of a Salesman* vermittelt?	Lösungshilfe siehe Kap. **1.2; 1.3; 2.7; 4.**
In welcher Weise entspricht der Aufbau der Tragödie der inneren und äußeren Situation des Helden?	Lösungshilfe siehe Kap. **2.2; 2.3; 2.4; 2.6; 4.**
Wie unterscheidet sich Willy Loman von den typischen „Helden" konventioneller Dramen?	Lösungshilfe siehe Kap. **2.3; 2.4; 2.7**
Welche Rolle spielen die musikalischen Motive in dieser Tragödie?	Lösungshilfe siehe Kap. **2.3; 2.6**
In welcher Weise handelt es sich bei Charley und Ben um gegensätzliche Charaktere?	Lösungshilfe siehe Kap. **2.2; 2.4**
In welchem Umfang ist Willy Lomans Schicksal von ihm selbst verschuldet, und welchen Anteil hat „die Gesellschaft" daran?	Lösungshilfe siehe Kap. **2.4; 2.7; 4.**

Kreativ-produktive Leseleistungen setzen eine nicht weniger gewissenhafte Auseinandersetzung mit dem Grundlagentext voraus. Anders als die rational-analytischen Aufgaben indes erwarten sie vom Lernenden eine schöpferische Verarbeitungsleistung, die dem Lernenden wirklich eine freie Entfaltung ermöglichen sollte. Die Mahnung Waldmanns vor Augen, dass manches als „produktives Verfahren" Angebotene „so komplett mechanisch, textuell unfunktional und literarisch unsensibel ist, dass man es „für rufschädigend halten kann"[68], entwerfe ich meine **Vorschläge B** entlang einigen Aspekten aus dem von ihm selbst ausgewiesenen Katalog systematischer Verfahren[69]. Ich habe jedoch keine Scheu, den Leser auf eigene, an anderer Stelle aspekthaft vorgetragene Beispiele produktiver Verarbeitung literarischer Texte hinzuweisen.[70]

Vorschläge B:

♦ **Aktives und produktives Lesen**:	
Gemeinsames Erlesen einer Dramenszene mit verteilten Rollen (Sitzkreis)	*z. B. Szene Howards Büro, S. 80–90*
Wiederherstellen des Originals durch Eliminieren hinzugefügter Reden	*z. B. Szene Biff-Happy, S. 16 ff.*
♦ **Produktive Konkretisationen**:	
„Multi-Media-Show" (Bild, Text, Ton)	*z. B. Eingangsszene, S. 5 ff.*
Illustrieren einer Szene	*z. B. „Requiem", S. 148–151*
Hinzufügen/Aussparen von Redeteilen	*z. B. Linda – Willy, S. 75 ff.*

68 G. Waldmann, S. 62
69 G. Waldmann, S. 68–86; Realisierungsvorschläge zum Text von uns.
70 In verschiedenen unserer Erläuterungsbände machen die Autoren Vorschläge zu kreativ-produktiver Verarbeitung der jeweiligen Werke. Wir machen auf die Reihe BLICKPUNKT TEXT IM UNTERRICHT (Beyer Verlag – Hollfeld) aufmerksam, in denen Themen und Aufgabenbeispiele explizit und nahezu ausschließlich auf „Produktionsorientierung" zielen.

Hinzufügen von Episoden aus der Vergangenheit	*z. B. Biff/Happy als Jungen, S. 26 ff.*
♦ **Produktive Veränderungen**: Erweitern/Kürzen einer Dramenszene	*z. B. Restaurant-Szene, S. 105 ff.*
Herstellen einer Antifigur der in seinem Leben wertvolle Erkenntnisse gewonnen hat	*z. B. Ben als empfindsamen Menschen, Willy als erfolgreichen Reisenden*
Übertragen der Sprache Biffs und Happys in Jugendsprache unserer Tage	*z. B. Szene Happy – Biff (siehe oben)*
Übertragen einer Szene indirekte Rede	*z. B. Willy – Frau im Hotel, S. 124 ff.*
♦ **Produktive Auseinandersetzung**: Schreiben eines Nachspiels; Verfassen einer kompletten Informationsbroschüre (PC!) für einen Elternabend/für eine Displaywand im Klassenzimmer/Foyer	*z. B. Biff und Happy einige Jahre später*

Es braucht nicht eigens betont zu werden, dass sich diese Vorschläge in der ausgewiesenen Richtung nahezu unbegrenzt erweitern lassen. Den Lernenden sollte dabei die Auswahl entsprechender Textstellen überlassen bleiben. Die grafische Ausgestaltung (Aufbau, Personenbeziehungen), das Zuordnen, Aufnehmen und Einspielen von Musik-Leitmotiven oder das Erstellen eines passenden Bühnenbildes gemäß den Vorgaben des Dramas als verfahrens-immanente Aufgaben erwähne ich nur der Vollständigkeit halber. Über diese Vorschläge hinausgehend wäre der Entwurf einer ***verdichteten Bühnenfassung*** mit dem Ziel einer Aufführung, in der die interdisziplinäre Arbeit voll zum Tragen gebracht werden könnte.

4. Rezeptionsgeschichte und Materialien

Death of a Salesman ist seit seinem Erscheinen auf allen Bühnen der Welt zu Hause. Mit wenigen zeitlichen Unterbrechungen ist es immer wieder erfolgreich aufgeführt worden, und die „Tragfähigkeit des Werkes als eines modernen Klassikers hat sich bestätigt."[71] Die Uraufführung im New Yorker Morosco Theatre am 10. Februar 1949 hatte das amerikanische Publikum verstört und begeistert. Das Stück war beinahe zwei Jahre mit insgesamt 742 Aufführungen in Folge **das** Theaterereignis der (westlichen) Welt.
Auch in Deutschland gewann es rasch das Publikum und die Kritik. Es kam in einer deutschsprachigen Erstaufführung (Wien,1. März 1950) und in zwei zeitgleichen deutschen Erstaufführungen (München und Düsseldorf, 26. April 1950) vor nicht weniger begeisterte Zuschauer. Seitdem ist die Tragödie um den Handlungsreisenden auch in unseren Theatern ein Renner geblieben, und noch heute versucht beinahe jede Bühne, mit ihr Ehre einzulegen. Große Schauspieler haben Willy Loman verkörpert. Der bekannteste ist zweifellos Dustin Hoffman (siehe unten), wenngleich die Erinnerung an den „ersten" Willy, 1949 von dem US-Schauspieler Lee J. Cobb in New York verkörpert, den Fachleuten und der älteren Generation von Theaterbesuchern noch sehr lebendig ist. Auch deutsche Schauspieler von Rang (Erich Ponto, Heinz Rühmann, Rénê Deltgen) haben das Stück bekannt gemacht, seinem Helden Ausdruck und menschliche Würde verliehen.
Vorübergehend erlebte Millers Erfolgsstück in den USA einen Einbruch; die ganze MacCarthy-Geschichte und der (politische) Wirbel um seine Person blieben nicht ohne Wirkung. Erstaunlicherweise kam auch Kritik von ‚links', und Miller,

71 R. Lübbren, S. 132

den bereits andere Projekte beschäftigten, war klug genug, sich die Hintergründe und Zusammenhänge zu erklären:

> *„Ich hatte zum Beispiel schon vor langer Zeit erkannt, was hinter der Kritik der Kommunisten am ‚Tod des Handlungsreisenden' und an ‚Alle meine Söhne' stand (...) Ein Stück, das zeigte, wie es wirklich war, konnte keinen Erfolg haben."*[72]

Als sich die politischen Wogen geglättet hatten und Miller unbeirrt seinen Weg als Streiter für Recht und Menschlichkeit weitergegangen war, kam es Anfang der 70er Jahre zu einer ‚Neuentdeckung' des Stückes mit zahlreichen Aufführungen in vielen Städten der USA (Auftakt: New York 1973), die sich bis in das nächste Jahrzehnt hinein erstreckten (Chicago 1980; Louisville 1987; Los Angeles 1989). Dazwischen lag Millers erfolgreiche Zusammenarbeit mit dem Theater im chinesischen Beijing (1983) und weit hallende Erfolgsaufführungen in den Metropolen Australiens, Europas und Japans.
Einer Sensation kam die hier bereits mehrfach erwähnte Verfilmung des Dramas mit **Dustin Hoffman** in der Hauptrolle gleich (1984). Dazu schrieb der Kölner Stadt-Anzeiger in einer Würdigung zwei Jahre später:

> *„Dustin Hoffman hatte den geborenen Verlierer bereits zweihundertfünfzigmal auf der Bühne gespielt, als CBS ihm eine Fernsehfassung anbot. Arthur Miller schrieb das Drehbuch, und als Regisseur wurde Volker Schlöndorff verpflichtet (...) Dustin Hoffman mit Stirnglatze und Brille, das Gesicht ständig zum schmerzhaften Lächeln verzerrt, weitet das Psychogramm des Handlungsreisenden zur Parabel über menschliche Hoffnungen und Enttäuschungen. Ein Charakter, der bis in die Katastrophe hinein erschreckend normal erscheint. Eine bewegende Studie des Alterns."*[73]

---

72 A. Miller: *Zeitkurven*, S. 522 f.
73 Kölner Stadt-Anzeiger vom 10./11. Mai 1986

Dass die Verfilmung dennoch auch befreiendes Lachen ermöglicht, verdankt sie auch V. Schlöndorffs Sensibilität als Regisseur und Literatur-Verfilmer:

> *„... wer Traum und Wirklichkeit miteinander verwechselt, ist weniger tragisch als vielmehr grotesk. Unsere Sympathien gewinnt er (Anm. des Verf.: Willy Loman) dadurch, dass wir lachen, wenn er seinen eigenen Lügen und Illusionen auf den Leim geht. Der Welt, in der er lebt, die ihn auspresst und dann auf den Abfall wirft, wird dadurch nichts von ihrer Härte genommen, noch dem amerikanischen Traum seine Kraft, uns immer wieder zu verführen, ganz gleich wie aufgeklärt und skeptisch wir sein mögen."*[74]

***

(1) In ihrem einführenden Text zum amerikanischen Drama zwischen 1930–1950 stellen die Autoren W. Karrer und E. Kreutzer den engen Zusammenhang zwischen Zeitgeschichte und Drameninhalten, aber auch die zunehmende Eigenständigkeit der amerikanischen Autoren heraus:

„Der immer bedrohlichere Ausmaße annehmende Nationalsozialismus und andere faschistische Bewegungen in Europa hatten die USA bereits in den 30er Jahren schrittweise zur Revision ihres isolationistischen Kurses in der Außenpolitik gezwungen, und als 1941 die Japaner Pearl Harbour überfielen, schlug auch die öffentliche Meinung vollends um: der Interventionalismus sollte Amerikas Außenpolitik für die nächsten 30 Jahren bestimmen (...) Die durch straffe Wirtschaftsplanung erreichte Hochkonjunktur, Aufrüstung und der alleinige Besitz der Atombombe sicherten den USA 1945 die Stellung als erste wirtschaftliche und militärische

---

74 V. Schlöndorff, *Anmerkungen*, S. 119

Macht der Welt (...) Für das Drama blieb der Einfluss von O'Neill bestimmend. Im Mittelpunkt standen Individuen und Gruppen, die (...) den Glauben an sich und die Welt verloren hatten und sich an eine Lebenslüge klammerten, die sie unfähig zu Kommunikation und Interaktion machte. T. Williams und A. Miller demonstrierten dieses Thema erfolgreich in The Glass Menagerie (1944) und Death of a Salesman (1949) an Modellfällen ihrer Umwelt entfremdeter Individuen. Realismus und Phantastik, die früher im amerikanischen Drama eine Einheit gebildet hatten, traten sich jetzt unvermittelt als illusionäre Traumwelt und Realität gegenüber."[75]

(2) An Zahlen und Fakten orientiert sich die nüchterne Bestandsaufnahme von D. Junker zur Situation der USA in den ersten Jahren der Weltwirtschaftskrise:

„Der Zusammenbruch der Börse zeigte sofort Rückwirkungen in Europa und in den Rohstoff exportierenden Ländern. Die einsetzende europäische Krise schlug auf Europa zurück, und schließlich drehte sich die Spirale der Depression in einem weltweiten Interaktionsprozess nach unten, bis sie Mitte 1932 ihren Tiefpunkt erreichte. Die wirtschaftlichen Folgen waren der sofortige Abzug der amerikanischen Kredite, gesunkene Produktionszahlen, ein allgemeiner Preisverfall, geschrumpfte Nationaleinkommen, weltweite Massenarbeitslosigkeit, ein reduzierter Welthandel und ein in Trümmern liegendes Welthandelssystem, das von einem weltweiten Protektionismus abgelöst wurde, weil jeder Staat nach dem Motto ‚Rette sich, wer kann' nationale Schutzmaßnahmen traf, was die Krise insgesamt nur noch mehr verschärfte. Die Vereinigten Staaten gehörten neben Japan zu den am schwersten betroffenen Staaten. Das Land geriet in eine beispiellose Krise (...): Das Nationaleinkommen und die Großhandelspreise für Agrarprodukte

75 W. Karrer/E. Kreutzer, *Daten der englischen und amerikanischen Literatur*, S. 52 ff.

zum Beispiel fielen von 1929 bis 1932 um 50%, die gesamte Industrieproduktion um fast 40%, die Lohnsumme aller Beschäftigten schrumpfte von 100,5 Punkten (Durchschnitt von 1929) auf 44 Punkte im Durchschnitt des Jahres 1933. Die Arbeitslosigkeit stieg rapide an: Im Durchschnitt des Jahres 1933 war fast ein Viertel der erwerbsfähigen Amerikaner, nämlich 12,5% von gut fünfzig Millionen, arbeitslos (...) Im Februar 1933 stand das Land kurz vor dem Zusammenbruch des ganzen Bankwesens."[76]

(3) Das anders geartete kulturelle Bewusstsein der Amerikaner und die Besonderheit ihres sozial-pragmatischen Handelns umreißt M. Zöller im folgenden Textausschnitt:

„Es gibt den Amerikaner als einen neuen Typus oder Charakter, und was ihn kennzeichnet, sind seine Lebensgewohnheiten, Meinungen und Einstellungen (...) Weitgehende Einigkeit bestand und besteht darüber, dass Amerikaner zu sein einen Bewusstseinszustand oder eine Summe von Lebensgewohnheiten umschreibt. So heißt es etwa bei Tocqueville, es seien in erster Linie die Sitten, welche die Erhaltung der amerikanischen Demokratie begünstigten. Der Historiker Henry Steele Comager hält das amerikanische Bewusstsein (The American Mind) für etwas schwer Fassbares (exlusive thing), aber dennoch schrieb er ein Buch mit diesem Titel, weil er davon überzeugt ist, dass es eine unterscheidbare Art des Denkens, des Betragens und des Charakters gebe. Gunnar Myrdal schließlich hat diese Auffassung in dem Begriff des ‚American Creed' zusammengefasst. Die Amerikaner besäßen ein soziales Ethos, einen politischen Glauben, und verglichen mit anderen westlichen Ländern zeichne sich die amerikanische Kultur durch

76 D. Junker, *Die Weltwirtschaftskrise*, in: W. P. Adams u.a. (Hrsg.), Länderbericht USA, Band I, S. 165 ff.

ein System sehr konkret formulierter Regeln zur Gestaltung der sozialen Beziehungen aus."[77]

(4) Die Welt der kleinen Bilder, die längst der Vergangenheit angehörte, und die Gefühlsparameter, aus denen sich die Atmosphäre des Stückes *Death of a Salesman* allmählich formte, werden in den einführenden Worten des Autors zu seinen *Collected Plays* lebendig:

„The play grew from simple images. From a little frame house on an street of little frame houses which had once been loud with the noise of growing boys, and then was empty and silent and finally occupied by strangers. Strangers who could not know with what conquistadorial joy Willy and his boys had once reshingled the roof. Now it was quiet in the house, and the wrong people in the beds. It grew from images of futility – the cavernous Sunday afternoons polishing the car. Where is that car now? And the chamois cloth carefully washed and put up to dry, where are the chamois cloth? And the endless, convoluted discussions, wonderments, arguments, belittlements, encouragements, fiery resolutions, abdications, returns, partings, voyages out and voyages back, tremendous opportunities and small, squeaking denouements – and all the kitchen now occupied by strangers who cannot hear what the walls are saying. The image of aging and so many of your friends already gone and strangers in the seats of the mighty who do not know you or your triumphs or your incredible value.
The image of the son's hard, public eye upon you, no longer swept by your mouth, no longer rousable from the separateness, no longer knowing you have lived for him and have wept for him.

77 M. Zöller, *Gibt es den amerikanischen Charakter?* in: W. P. Adams u.a. (Hrsg.), Band I, S. 285.– Titel, auf die sich M. Z. bezieht, siehe Literatur)

The image of ferocity when love has turned to something else and yet is there, is somewhere in the room if one could only find it. The image of people turning into strangers who only evaluate one another. Above all, perhaps, the image of a need greater than hunger or sex or thirst, a need to leave the thumbprint somewhere on the world. A need for immortality, and by admitting it, the knowing that one has carefully inscribed one's name on a cake of ice on a hot July day."[78]

(5) P. Szondi beschreibt das Neue in dem Drama, mit dem sich Miller vollständig vom Einfluss des europäischen Dramas (Ibsen) befreite:

„Arthur Millers Entwicklung vom Epigonen zum Neuerer (...) folgt aufs deutlichste jenem allgemeinen Stilwandel, der die Dramatiker der Jahrhundertwende und die der Gegenwart zugleich verbindet und trennt: der Formwerdung der thematischen Epik aus dem Innern der dramatischen Form heraus (...) In ‚All my Sons' (1947) hat Miller versucht, Ibsens analytische Gesellschaftsdramatik unverändert in die amerikanische Gegenwart herüberzuretten (...) Alle die sekundären Handlungsmomente sind da, die das Erzählen der Vergangenheit als ein dramatisches Geschehen ausgeben müssen (...) Wäre auf ‚All my Sons' nicht ‚Death of a Salesman' (1949) gefolgt, dann wäre es hier allenfalls zu erwähnen als Beispiel für Ibsens gewaltigen Einfluss in den angelsächsischen Ländern, der mit G. B. Shaw beginnt und heute noch anhält. So aber erscheint es als Werk der Lehrjahre, als hätte Miller, mit der szenischen Gestaltung eines ‚verfehlten Lebens' und im Besonderen der traumatischen Vergangenheit beschäftigt, in der Nachfolge Ibsens erst einsehen müssen, welchen Widerständen diese Thematik sei-

78 A. Miller, *Introduction to ‚Collected Plays'* zitiert nach Gerald Weales: Arthur Miller, Death of a Salesman. Text and Criticism, S. 162)

tens der dramatischen Form begegnet, mit welchen Unkosten sodann deren Erzwingung für sie verbunden ist (...) Diesen Widersprüchen sucht Miller in seinem zweiten Werk zu entkommen, indem er die dramatische Form aufgibt. Grundlegend dabei ist sein Verzicht auf die als Handlung verkleidete Analyse. Die Vergangenheit wird nicht mehr in dramatischer Auseinandersetzung gewaltsam zur Sprache gebracht (...) sondern die Vergangenheit gelangt zur Darstellung, wie sie im Leben selbst in Erscheinung tritt: aus ihrem eigenen Willen in der ‚mémoire involontaire' (Proust). Damit bleibt sie zugleich ein subjektives Erlebnis und schafft nicht in der gemeinsamen Analyse Scheinbrücken zwischen den Menschen, die sie ein Leben lang unverbunden ließ. So tritt in der gegenwärtigen Thematik an die Stelle einer zwischenmenschlichen Handlung, die zur Aussprache über das Vergangene zwänge, der seelische Zustand eines Einzelnen, der unter die Herrschaft der Erinnerung gerät."[79]

(6) Die ungebrochene Aktualität und Bühnenwirksamkeit des Dramas verdeutlicht eine Kritik aus dem Kölner Stadtanzeiger:

„Millers ‚Tod eines Handlungsreisenden', der nicht zuletzt durch die Verfilmung von Volker Schlöndorff mit Dustin Hoffman in der Hauptrolle bekannt geworden ist, gilt als eines der Meisterwerke des psychologischen Realismus (...) In der Regie von Barbara Herold erzählte das Ensemble von der Schattenseite des ‚American Dream' – die Geschichte einer Lebenslüge vor beeindruckender Kulisse. In zwei Akten und einem Requiem zeichneten die Castrop-Rauxeler das Porträt eines Menschen, der letztlich an seinen Illusionen und Idealen zugrunde geht. Zuvor ließ Willy Loman in Traumsequenzen und Rückblenden noch einmal seine Erinne-

79 Peter Szondi, *Theorie des modernen Dramas*, S. 154 ff.

rungen lebendig werden. Die graue Gegenwart wurde mit farbigen Szenen aus der Vergangenheit durchsetzt: Der tragische Traum eines Handlungsreisenden."[80]

80 M. Paus im Kölner Stadt-Anzeiger vom 28./29. Januar 1995

Literatur

Miller, Arthur: *Death of a Salesman. Certain Private Conversations in Two Acts and a Requiem.* Herausgegeben von Manfred und Gunda Pütz. Mit einem Nachwort von M. Pütz. Stuttgart: Reclam,1984
(Nach dieser Ausgabe wird zitiert.)

– –: *Tod eines Handlungsreisenden. Gewisse Privatgespräche in zwei Akten und einem Requiem.* Übersetzt von Volker Schlöndorff mit Florian Hopf. Frankfurt a. M. 2000 (Fischer Taschenbuch in der 45. Auflage)

– –: *Timebends.* New York: Grove Press, Inc., 1987 (Dt.: *Zeitkurven.* Frankfurt a. M. 1987; als Taschenbuchausgabe 1989)

– –: *The Crucible.* New York 1985 (Penguin Plays)

***

Bigsby, Christopher (ed.): *The Cambridge Companion to Arthur Miller.* Cambridge (Engl.): University Press, 1997

Bigsby, Christopher: *File on Miller.* New York: Methuen, 1987

Hogan, Robert: *Arthur Miller.* Minneapolis: University of Minnesota Press, 1964

Lübbren, Rainer: *Arthur Miller.* Friedrichs Dramatiker des Welttheaters. 2. Aufl. Velber 1969

Martine, James (ed.): *Critical Essays on Arthur Miller.* Boston: K. G. Hall, 1979

Moss, Leonard: *Arthur Miller.* Boston: Twayne' s Publisher, 1980

Welland, Dennis: *Arthur Miller.* New York: Grove Press, 1961

Welland, Dennis: *Arthur Miller the Playwright.* New York: Methuen 1979

***

Bloom, Harold (Hrsg.): *Modern Critical Interpretations: Arthur Miller's Death of a Salesman.* New York: Chelsea House, 1988

Einberger,Angela: *Arthur Miller, Death of a Salesman.* München: Mentor, 2000

Koon, Helene W. (ed.): *Twentieth Century Interpretations of Death of a Salesman. A Collection of Critical Essays.* Englewood Cliffs, N. J.: Prentice Hall, 1983

Nourse,Joan Th.: *Arthur Miller's Death of a Salesman.* New York: Barnes & Noble Books, 1997 (Monarch Notes)

Page, Adrian: *Death of a Salesman. Arthur Miller.* London: York Notes 1998

Poppe, Reiner: *Arthur Miller: Tod des Handlungsreisenden/ Hexenjagd.* Hollfeld: Bange Verlag, [10]1999 (Königs Erläuterungen und Materialien)

Pütz Manfred/Gunda Pütz (Hrsg.): *Arthur Miller: Death of a Salesman.* Stuttgart: Reclam, 1984 (RUB 9172)

Roberts, James L.: *Miller's Death of a Salesman.* Lincoln (Nebrasca): Cliffs Notes, 1997

Roudané, Matthew C.: *Death of a Salesman and the poetics of Arthur Miller.* In: Christopher Bigsby (Hrsg.), Arthur Miller (s.o.), S. 60–85

Williams, Liza M.: *Arthur Miller. Death of a Salesman.* New York: Barron' s Educational Series, 1984

Weales, Gerald (ed.): *Arthur Miller. Death of a Salesman.* Text and Criticism. New York: Viking, 1967

* * *

Adler, Thomas P.: *Conscience and community in An Enemy of the People and The Crucible.* In: Christopher Bigsby (Hrsg.), S. 86–100

Bly, William: *Arthur Millers's The Crucible.* New York: Barron' s Educational Series, 1984

Centola, Stephen R.: *All My Sons.* In: Christopher Bigsby (Hrsg.), S. 48–59

Scheidt, Jennifer L.: *Miller's The Crucible.* Foster City (CA): Cliffs Notes, 2000

Weales, Gerald (Hrsg.): *The Crucible.* Text and Criticism. New York: Penguin, 1977

* * *

Barker, Stephen: *Critic, criticism, critics.* In: Christopher Bigsby (Hrsg.), S. 230–244

Murphy, Brenda: *The tradition of social drama: Miller and his forebears.* In: Christopher Bigsby (Hrsg.), S. 10–20

Palmer, R. Barton: *Arthur Miller and the cinema.* In: Christopher Bigsby (Hrsg.), S. 184–210

Schlueter, June: *Miller in the eighties.* In Christopher Bigsby (Hrsg.), S. 152–167

***

Berkowitz, Gerald M.: *New Broadways. Theatre Across America 1950–1980.* Totowa 1982

Goetsch, Paul (Hrsg.): *Das amerikanische Drama.* Düsseldorf 1974

Itschert, Hans (Hrsg.): *Das amerikanische Drama von den Anfängen bis zur Gegenwart.* Darmstadt 1972

Karrer, Wolfgang/Eberhard Kreutzer: *Daten der englischen und amerikanischen Literatur von 1890 bis zur Gegenwart.* München 1973

King, Bruce (Hrsg.): *Contemporary Amercian Theatre.* New York 1993

Schäfer, Jürgen: *Geschichte des amerikanischen Dramas im zwanzigsten Jahrhundert.* Stuttgart 1982

Szondi, Peter: *Theorie des modernen Dramas (1880–1950).* Frankfurt a. M. [11]1975

Wilmeth, Don B./Miller, Tice L. (Hrsg.): *Guide to American Theatre.* New York 1993

***

Adams, Willi Paul u.a. (Hrsg.): *Länderbericht USA.* 2 Bände. Bonn: Bundeszentrale für politische Bildung, 1992

Axelrod, Alan/Charles Phillips: *What Every American Sjould Know About American History. 200 Events that Shaped the Nation.* Holbrook, Mass: Bob Adams, Inc., 1992

Commager, Henry S.: *The American Mind. An Interpretation of Amercian Thought and Character Since the 1880s.* New Haven - London 1950

United States Information Agency: *An Outline Of American History,* May 1994

***

Emmel, Felix: rororo Schauspielführer. *Von Aischylos bis Peter Weiss.* Hamburg 1976
Fortgeführt von Karin Kathrein (Von Aischylos bis Botho Strauß). Reinbek 1984/1997 im 38.-40. Tsd.

Goertz, Heinrich: *Erwin Piscator in Selbstzeugnissen und Bilddokumenten.* Reinbek b. Hamburg 1974

Myrdal, Gunnar: *An American Dilemma. The Negro Problem and Modern Democracy.* Bd. 1, New York 1975

Piscator, Erwin: *Theater der Auseinandersetzung. Ausgewählte Reden und Schriften.* Frankfurt a. M. 1977

Tocqueville, Alexis de: *Über die Demokratie in Amerika.* München 1976 (L'Ancien Régime et la Révolution. Paris 1856)

Unger,Wilhelm: *Wofür ist das ein Zeichen? Auswahl aus veröffentlichten und unveröffentlichten Werken des Autors.* Köln 1984

***

Waldmann, Günter: *Produktiver Umgang mit Literatur im Unterricht.* 2. Aufl. Baltmannsweiler 1999

***

Verfilmung:
Tod eines Handlungsreisenden.
USA/BRD 1985.
Regie: Volker Schlöndorff.
Dustin Hoffman als Willy Loman,
John Malkovich als Biff.